Llyfrau Llafar Gwlad

'Doeth a wrendy . . .'

Detholiad o ddiarhebion

Iwan Edgar

Llyfrau Llafar Gwlad

Golygydd: John Owen Huws

Argraffiad cyntaf: Awst 2000

Ⓑ Iwan Edgar/Gwasg Carreg Gwalch

Rhif Llyfr Safonol Rhyngwladol:
0-86381-636-3

Cynllun clawr: Sian Parri

Argraffwyd a chyhoeddwyd gan Wasg Carreg Gwalch,
12 Iard yr Orsaf, Llanrwst, Dyffryn Conwy, LL26 0EH.
☎ 01492 642031
🖷 01492 641502
✆ llyfrau@carreg-gwalch.co.uk
lle ar y we: www.carreg-gwalch.co.uk

Rhagair

Deuparth gwaith, ei ddechrau: dyna'r ddihareb fwyaf perthnasol yn hanes y casgliad byr hwn.

Yr oeddwn wedi rhyw feddwl sawl gwaith y buaswn wedi lecio gwneud casgliad diarhebion. Ond digon o waith y byddwn wedi gafael ynddi i wneud dim. Byddai fy syrthni cynhenid wedi ei gadael hi ar awydd yn unig, heblaw i Fyrddin ap Dafydd ofyn imi fynd ati i lunio'r detholiad hwn. Yr wyf yn ddiolchgar am ei ysgogiad, ac ar ôl gorffen y gwaith yn teimlo'n falch fy mod wedi mynd i'r drafferth.

Cychwynnais drwy nodi tarddiad pob dihareb o'r casgliadau y bûm yn eu trafod (gan sylweddoli bod sawl un i'w chael mewn mwy nag un casgliad). Er hynny, yn groes i raen ysgolheictod, hepgorais y cyfeiriadau ffynhonnell gan nad nod academaidd oedd i'r gwaith, ond yn hytrach, ymgais i godi diddordeb mewn diarhebion fel rhan fechan o'r dreftadaeth lenyddol.

Wrth fynd ati i gasglu, cododd y cwestiwn amlwg, beth ydyw dihareb? Ymadrodd lled fyr sydd yn crynhoi rhyw gyngor neu wirionedd (a'r gwirionedd hwnnw yn rhyw fath o gyngor ynddo'i hun): dyna'r math ar arweiniad a gymerais. Yn hynny o beth mae sawl 'dihareb' sydd i'w chael yn rhai o'r casgliadau a ddefnyddiais, ac ar lafar, yn rhai nad ydynt yn gymwys ar y mesur hwnnw. Dywediadau ydyw llawer yn ystyr ehangach y gair. Pethau ydynt sy'n weddus i ddisgrifio ambell sefyllfa, e.e. 'pen punt a chynffon ddimai', 'mwy o gathod nag o lygod'. Nid ydynt yn gynghorion na gwirebau. A cheir 'yn syth fel y gawnen', 'fel llong mewn cae tatws' neu 'yn ddu fel y frân' ac ugeiniau o rai fel yna sy'n gymariaethau ond heb fod yn ddiarhebion yn ôl y canllaw a gymerais. Ceir traethiad taclus ar y mater yn rhagymadrodd J.J. Evans, *Diarhebion Cymraeg.* Yno, yn wahanol i'm canllaw i, dangosir mai 'dywediad' yn ei ystyr ehangach oedd ystyr wreiddiol y gair 'dihareb':

Y mae tarddiad y gair yn ansicr, oblegid fe geir dwy ffurf wahanol arno mewn llenyddiaeth, sef *diarheb a dihaereb* ond ymddengys mai 'dywediad' oedd ei ystyr wreiddiol, ac yn hyn o beth y mae'r gair Cymraeg yn debyg ei ystyr i'r geiriau cyfatebol mewn ieithoedd eraill. Y mae'r gair Saesneg *proverb*, a'r gair cyfatebol (*proverbe*) mewn Ffrangeg, Eidaleg ac Ysbaeneg, yn dod o'r Lladin *proverbium*, hynny yw, rhyw 'ddywediad' yn cynnwys ffigur ymadrodd a ddefnyddir yn lle'r gair ei hun. Dyma'r geiriau yn rhai o ieithoedd y Dwyrain – Hebraeg, *mashal*: Arabeg, *mathal*: Perseg, *masal*; a'r ystyr yw 'dihareb', 'cymhariaeth', 'dameg', 'pos', etc. 'Gair i'w siarad' yw *sprichworter* yr Almaeneg, ac ystyr y gair Groeg *paroemia* yw 'dywediad a arferir ar y

3

ffordd'. Mewn Gwyddeleg ceir *sean focal* sef 'hen ddywediad a ddaeth i lawr o'r cyn-oesau ar wefusau'r werin'. 'Dywediadau taid' yw ystyr *atalar sozu* y Twrc, ac y mae hyn yn dwyn ar gof inni *'hen wheddel'*, *(hen chwedl)* y Cymro, a phur debyg eu hystyr gynt oedd 'dihareb' a 'chwedl' a 'dameg'.

Y mae'r traddodiad o ddefnyddio a chasglu diarhebion yn hen wrth gwrs. Y mae i'w weld yn nhraddodiad clasurol Groeg a Rhufain, yn llenyddiaeth yr Iddewon, ac yn yr hen draddodiad Cymreig. Yn y cyfnod modern, llyfr 'Adagia' (*Adagiorum Collectanea*, 1500) D. Erasmus oedd y mwyaf nodedig. Casgliad sylweddol o ddiarhebion Lladin ydyw hwn. Efelychwyd hwnnw wedyn gan ieithoedd eraill yn Ewrop y Dadeni, a maes o law gan William Salesbury, a gyhoeddodd gasgliad o ddiarhebion (a oedd, meddai, yn gasgliad a gafodd gan y bardd Gruffudd Hiraethog): *Oll Synnwyr Pen Kembero Ygyd*, 1546 (?). Yn rhagymadrodd y llyfr hwnnw ceir yr eglurhad dros ei gyhoeddi, sef i efelychu'r hyn a wnaed gan rai o ysgolheigion mawr yr oes:

Uelly y gwnaeth gwr dyscedic (a elwir John Heywod) yn Sasnec er mwyn y Sason gwyr ei wlat ef. Eithyr Polydorus Uuergilius gwr a han yw or Ital sef o wlat Ruuein ac un or dyscedickaf heddy o wyr llen Lloecr, . . . a gascladd lawer o ddiarebion yn Ltatin [sic] ir vnlle. Either Erasmus Roterodamus yr athro dyscedickaf, huotlaf, ac awdurusaf yn Cred oll . . . a cascladd . . . caterua vawr o ddiarebion Groec a Llatin . . .

Aeth gwaith Salesbury yn rhan o gadwyn lenyddol y casgliadau diarhebion.

Y llyfr nesaf o bwys wedyn yw'r *Dictionarium Duplex*, John Davies, 1632. Cyn hynny, fodd bynnag, gwnaed casgliad gan Thomas ap Wiliam (Thomas Williems) Trefriw. Gwnaed defnydd helaeth o hwnnw gan William Hay, *Diarhebion Cymru* (Lerpwl, 1955). Nodir mân lyfrau eraill o'r bedwaredd ganrif ar bymtheg gan J.J. Evans yn ei ragymadrodd i'w gyfrol *Diarhebion Cymraeg* hefyd. Mae'r llyfryddiaeth isod hefyd yn rhestr o'r traddodiad llenyddol diweddar.)

Yr wyf yn tybio, er na allaf gyfiawnhau hynny am nad wyf wedi ymchwilio i'r peth, fod nifer sylweddol o'r diarhebion yn gyfieithiadau o Ladin neu o'r Saesneg, neu efallai o Ladin drwy'r Saesneg. Y mae cyswllt amlwg rhwng 'Nid aur yw popeth melyn' ac *'All that glisters is not gold'* ac 'Aderyn mewn llaw sydd well nau dau mewn llwyn, ac *'A bird in the hand is worth two in the bush'*. Synnais weld llawer ychwaneg, e.e. 'Allan o olwg, allan o feddwl' sef *'Out of sight out of mind'* a chyffelyb mor bell yn ôl ag *Oll Synnwyr Pen* . . . Yn sicr, y mae maes ymchwil pellach yma.

4

Pwysleisiaf mai detholiad sydd yma. Dewisais hwy am fy mod yn tybio bod rhyw werth iddynt. Gwrthodais eraill, a dichon imi wneud cam â rhai wrth beidio â'u cynnwys. Y gwir ydyw y gallwn fod wedi diystyru sawl perl. Pe na bawn yn gwybod ac yn defnyddio'r ddihareb 'I'r pant y rhed y dŵr', a phe bawn yn taro arni mewn casgliad, gallwn fod wedi ei bwrw heibio gan synio nad oedd fawr o sylwedd iddi – mwy na dweud yr amlwg fod dŵr yn llifo – heb wybod fod y cyfryw yn gryno iawn yn cyfeirio, fel rheol am arian, lle bo arian yn hel mwy ato.

Teg yw nodi hefyd fod sawl dihareb debyg iawn wedi eu cynnwys. Amrywiadau dilys ar yr un syniad sydd ynddynt, e.e. 'Gwyn y gwêl y frân ei chyw . . .' a 'Cared yr afr ei mynn . . .'. Yn aml, mae'r amrywio'n llai na hynny (pryd y bu i mi gynnwys ambell amrywiad agos iawn mewn cromfachau wrth ochr ei chyffelyb). Heblaw am amrywio ar yr un syniad, gwnaed sawl dihareb ar yr un patrwm: 'Cas' hyn, 'Deuparth' llall a 'Gwell' rhywbeth a 'Gorau' rhywbeth arall, e.e.:

Deuparth ffordd, ei gwybod
Cas gŵr na charo'r wlad a'i mago
Gwell angau na chywilydd
Gorau arf: arf dysg.

A byddai'n dlawd iawn heb adar (brain ac ati), ceffylau ac yn enwedig gŵn. Yn amlwg, cydiodd y creaduriaid hyn yn y meddwl diarhebu:

Mae brân i frân yn rhywle
Ceffyl da yw ewyllys
Ci a gerddo a gaiff.

Nid yn annisgwyl, un thema sy'n cael ei godro bron at fod yn hesb ydyw yr un sy'n ymdroi rhwng 'Doeth' a 'Ffôl'. Y mae degau o ddiarhebion yn cyffwrdd â hyn mewn rhyw fodd:

Addewid deg wna ynfyd yn llawen
Doeth a newid ei farn, ffôl a'i ceidw'n gadarn
Doeth a wrendy, ffôl a lefair
Doeth dyn tra tawo.

Un argraff ddigamsyniol hefyd ydyw fod natur a thestun y diarhebion yn adlewyrchu'r gymdeithas a'u creodd. Gwledig, amaethyddol a gwerinol oedd y gymdeithas honno. Cymdeithas dlawd heb fawr fri na statws oedd yn llunio llawer o'r rhain. Ac ambell dro mae cyffyrddiad ynddynt o feddylfryd sinig 'pin yn y swigan' – dull o ymgysuro gan bobl a oedd yn byw bywyd digon caled, heb ormod i obeithio amdano:

Byr ach bonedd lle na pherthyn iddi na chrog na charn putain
Bonedd mawr yw'r peth lleiaf yn llys doethineb
Fe ddaw eto haul ar fryn; os na ddaw'r egin, mi ddaw'r chwyn
Gyda'r nos y cyfyd malwod
Lletaf fydd y bisweilyn o'i sathru
Mae bol sawl afal bochgoch yn ddigon du.

Dichon y gellir damcanu tipyn ar y trywydd hwn, ond fe'i gadawaf yna.

Y mae'r casgliad yma'n deillio o'r llyfrau sydd wedi eu nodi yn y llyfryddiaeth ynghyd ag ychydig iawn oddi ar lafar na chofnodwyd mohonynt o'r blaen. Y mae ambell bennill wedi eu cynnwys – rhai sydd wedi cydio fel diarhebion. Weithiau mae'r awdur yn hysbys e.e. Rhys Pritchard (Y Ficer Pritchard). Yn ogystal ceir ambell adnod o'r Beibl. Pwysleisiaf mai detholiad sydd yma, dichon fod llawer mwy yn haeddu sylw.

Wrth fynd ati i gasglu, yr oedd sawl un na allwn wneud pen na chynffon o'i hystyr. Gogleisiwyd fi gan rai o'r rhain, er y gallai ymchwil pellach ddatgelu'r hyn a olygid. Tueddais i beidio â chynnwys rhai anobeithiol o ddiystyr (i mi), e.e.:

Ewyllys y gwyn-gam am ei lawdr
Ffordd lan Fechan ydd a'i wenynen yn ei phreseb
Hir y bydd blewyn yn mynd yn rhin y blaidd
Mefl i'r llygoden untwll
Ni fynn y sant mo'r caws.

Pam na fynnai'r sant y caws? Ai dangos fod rhywun da heibio ei lygru y mae hyn? Gellir damcanu llawer.

Yn wir, y mae rhai yn gwbl groes i'w gilydd. Dengys hyn nad oedd pawb yn siŵr o ystyr pethau, hyd yn oed beth amser yn ôl pan luniwyd rhai o'r casgliadau e.e. 'Dedwydd a gaiff ddraen yn ei uwd' a 'Diriaid a gaiff ddraen yn ei uwd'. (Y mae 'diriad' yn golygu rhywun sy'n cael ei eni i anffawd, tra bo 'dedwydd' yn rhywun sy'n cael ei fendithio â bywyd ffodus.) Y mae'r ddwy ddihareb yn gwbl groes i'w gilydd, er bod y ddwy ar yr un tudalen o'r *Dicitionarium Duplex*, 1632. Mae hyn yn awgrymu y gall diarhebion newid eu hystyr a throi i feddwl pethau gwahanol drwy arfer.

Chwith o beth fyddai colli'r arfer o ddefnyddio'r rhain mewn sgwrs dydd i ddydd. Mae'n wir hwyrach fod pobl, wrth fynd yn hŷn, yn tueddu i fod yn fwy chwannog i'w defnyddio – gan fod llafar pobl hŷn yn aml yn fwy coeth. Ond wn i ddim sawl dihareb newydd ddaw i'r fei: nid hen rai yn cael eu darganfod ond rhai'n cael eu creu o'r newydd.

Hynny, ar un wedd, ydyw'r glorian sy'n dangos pa mor fyw ydynt, ond siawns fod dal gafael a gwerthfawrogi'r rhai sy'n bod yn barod yn ddull cystal â dim i gyflyru rhai i roi anadl einioes i ddiarhebu.

Ceisiais gysoni a diweddaru weithiau. Y drwg ydyw, os gwneir hynny'n ormodol, collir peth o'r rhin. Cefais drafferth ar brydiau i wybod pa atalnodi fo'n briodol – : neu ; ynteu , . Mae'n siŵr fy mod yn anghyson, ond mewn ffordd efallai fod mwy nag un dehongliad yn bosib'. Eglurais rai geiriau yma ac acw hefyd, gan geisio peidio â bod yn rhy nawddoglyd. Ysywaeth, rhaid imi gyfaddef nad wyf yn gwbl siŵr beth y mae pob dihareb yn ei feddwl, heibio'r ystyr arwynebol amlwg, ond bod rhyw deimlad weithiau yn greddfol wneud imi feddwl bod ychwaneg ystyr i ambell un. Gêm go berygl ambell dro yw gorymdrechu i egluro. Sylwais ar ambell lithriad wrth egluro yn rhai o'r llyfrau a ddefnyddiais i hel y casgliad hwn. Boed i hynny fod yn ddigon o wers i minnau.

Llyfryddiaeth

Davies, John, *Dictionarium Duplex* (Llundain, 1632)

Evans, J. Gwenogvryn, 'Diarhebion Cymreig', *Trafodion Eisteddfod Genedlaethol Lerpwl*, 1884

Evans, J.J., *Diarhebion Cymraeg/Welsh Proverbs* (3ydd argraffiad; Llandysul, 1965)

Hay, William, *Diarhebion Cymru* (Lerpwl, 1955)

Jones, J. (Myrddin Fardd), *Gwerin-Eiriau Sir Gaernarfon* (?1907. Defnyddiwyd argraffiad 1979.)

Jones, Owen John, *Dywediadau Cefn Gwlad* (Dinbych, 1977)

Jones, T.O. (Tryfan), *Diarebion [sic] y Cymry* (Conwy, 1891)

Salesbury, William, *Oll Synnwyr pen Kembero ygyd* (Llundain, 1546. Argraffiad a ddefnyddiwyd wedi ei olygu a'i ragymadroddi gan J. Gwenogvryn Evans, Bangor/Llundain, 1902.)

Vaughan, Henry Halford, *Welsh Proverbs with English Translation* (Llundain, 1889. Argraffiad a ddefnyddiwyd: Llanerch Publishers, 1993.)

1. A achwyno heb achos, gwneler achos iddo

2. A aned o hwch, a ymdroes yn y dom

3. A bryn dir, a bryn gerrig

4. A chwenycho ddrwg i arall, iddo'i hun y daw

5. A chwenycho'r rhosyn, goddefed y drain

6. A chwilio fwyaf am fodlondeb, a fydd bellaf oddi wrtho

7. A dretho a drethir

8. A ddadlau dros ei fai, a wna ddau ddiawl o un cythraul

9. A ddarlleno, ystyried

10. A ddechreuo lawer o bethau, ni orffen ond ychydig

11. A ddioddefa (/ddioddefws), a orfydd (/orfu)

12. A ddring yn rhy uchel, fe dyrr y brigyn dano

13. A ddwg wy, a ddygo fwy

14. A ddywed y gwir, torrer ei ben

15. A ddywed y peth a fynno, a gaiff glywed y peth nas mynno

16. A edrycho am eiriau, ni edrych am orchwyl

17. A êl heb achos i ddadlau, a ddychwel gydag achos adref

18. A fager gyda moch, a ddysg i fwyta soeg

19. A fager ymysg cŵn, a ddysg gyfarth a chnoi

20. A falchïo o ddysg neu ddawn, yn angall iawn y'i bernir

21. A fo â chrys gwellt, gocheled y tân

22. A fo aml ei feibion, bid wag ei goluddion

23. A fo aml ei fêl, rhoed yn ei uwd

24. A fo ben, bid bont

25. A fo byw mewn tŷ gwellt, gofaled am ei dân

26. A fo dda ei bwyll, a fydd ddi-boen

27. A fo ddigywilydd, a fo'n ddigolled

28. A fo ddrwg ei ewyllys, a fydd ddrwg ei allu

29. A fo gam, ni fynn wir; a fo gywir, ni fynn anwir

30. A fo heb ei gof, a fo heb bopeth

31. A fo trechaf, treisied (+/gwanaf, gwichied)

32. A fo nesaf i'r eglwys, pellach oddi wrth baradwys

33. A fo yn natur dyn, ni thynnir ohono

34. A fo ysgafn galon, a dybia fod pawb felly

35. A fynno barch, bid gadarn

36. A fynno barhau'n ieuanc, aed yn ebrwydd yn hen

37. A fynno glod, bid farw

38. A fynno iechyd, bid lawen

39. A gadwer, a geir wrth raid

40. A gafodd y carn, a gafodd y llafn

41. A gasglo'r tad drwy gybydd-dra,
    Mab afradus a'i gwastraffa
    Rhys Pritchard

9

42. A garer ac a gaseir, a welir o bell

43. A garo ei gilydd, nid adnebydd ei gabl
cabl – sarhad

44. A geir yn rhad, a gerdd yn rhwydd

45. A grawn cybydd, a ys glwth
crawn (cronni) – hel
ys (ysu) – bwyta

46. A gŵyn cwyn bychan, cwyn mawr a ddarogan

47. A heuo ddrain, na cherddo'n droednoeth

48. A heuo ysgall, ni fed wenith

49. A heuo'n brin, a fed yn brin

50. A ofno'r dail, nid â i'r goedwig

51. A ogana, a ogenir
goganu – sarhau

52. A orfwyda'r gath, a fwyda'r llygod

53. A wna ychydig, a haedda ychydig

54. A wnelo ei hun yn oen, a lyncir gan y blaidd

55. A ŵyr leiaf, a ddywed fwyaf

56. A yfo ormod, bid feddw

57. A'm caro i, cared fy nghi

58. A'r ni allo trais, twylled

59. Ar ben ei domen, pob ceiliog fydd frenin

60. A'r ni oddefo gwas, bid was iddo ei hun

61. Abl i bawb a'i bodlono

62. Abwy a bair wybod lle bo
    abwy – corff marw

63. Abwyd y Diafol yw pleserau'r byd

64. Achos bychan a ddaw â blinder mawr

65. Adar o'r unlliw a ehedant i'r unlle

66. Adfyd a bair i rai edrych o'u deutu

67. Adfyd a ddaw â dysg yn ei law

68. Adnebydd pob dafad lais ei hoen ei hun

69. Adwaenir dyn oddi wrth ei gyfeillion

70. Adwyog maes gŵr diog

71. Addas i bawb ei gydradd

72. Addef cam a ddwg gymod

73. Addef yw tewi

74. Addewid deg wna ynfyd yn llawen

75. Aelwyd a gymell

76. Aeth y ffrwd yn nant, a'r nant yn afon

77. Afal pwdr a ddryga ei gyfeillion

78. Afiach pob trwmgalon

79. Afieithus pob mamaeth

80. Afrad pob afraid

81. Afraid aur er cur a gofid

82. Afraid cyngor i hen

83. Afraid llenwi mwg i sachau

84. Agor dy gwd pan gei borchell

85. Agored i oludog, bob man ond y nef

86. Angel pen ffordd, diawl cil (/pen) pentan

87. Angen a bair i henwrach duthio

88. Angen a bryn ac a werth

89. Angen a dyr ddeddf

90. Angen a yrr hen i redeg

91. Angen yw mam pob celfyddyd (/dyfais)

92. Ail i fygu: tagu

93. Allan o olwg, allan o feddwl

94. Allwedd arian a egyr pob clo

95. Allwedd calon: cwrw da (/Cwrw yw allwedd calon)

96. Allwedd tlodi: seguryd

97. Am gwymp hen y chwardd ieuanc

98. Amharod pob anallu

99. Aml y ceir y Diawl yng ngwisg y duwiol

100. Amlach brân nag eos

101. Amlaf ei gwys, amlaf ei ysgub

102. Amlwg bai lle ni bo cariad

103. Amlwg llaid ar farch gwyn (/gwelw)

104. Amser dyn yw ei gynhysgaeth
cynhysgaeth – etifeddiaeth, gwaddol

105. Amynedd: golud athro

106. Anffawd a ddaw dan redeg ac a â ymaith dan ymlusgo

107. Anffyddlondeb a dry'r mêl yn wermod

108. Anhawsaf peth i'w adnabod yw dyn

109. Anian a fydd ben ym mhopeth

110. Anifail fydd yr eidion pe torrid ei gynffon

111. Anniddig hun, coronog ben

112. Annoeth, llithrig ei dafod

113. Annog dy gi a na ddos ganddo

114. Anodd dwyn dyn oddi ar ei dylwyth

115. Anodd gwreica a ffynnu yn yr un flwyddyn

116. Anodd i neidr anghofio sut i frathu

117. Anodd torri gwden â gordd
gwden – cwlwm

118. Anodd tynnu bach (/bachyn) trwy goed

119. Anodd tynnu cast o hen geffyl

120. Anwadal pob ehud (/ynfyd)
ehud – ffôl

121. Anwadal yw'r gwynt

122. Anwir difenwir ei blant
  difenwir – dilornir

123. Anwybodus a ddengys yn fuan a ŵyr, fel plentyn yn dangos tegan

124. Ar bennaeth, bai sydd amlwg

125. Ar dir llafur y mae'r brenin yn byw

126. Ar ddiwedd pob dydd fe ddaw'r nos

127. Ar ddiwedd y mae barnu

128. Ar ôl cymylau yr â'r wybren yn olau

129. Araf a dygn a ennill y gamp

130. Araf dân a wna frag melys

131. Araf deg a mesul dipyn mae stwffio bys i din gwybedyn

132. Araf deg mae dal iâr

133. Araf deg mae mynd ymhell

134. Arf doeth yw pwyll; arf ynfyd, dur

135. Arf glew yn ei galon

136. Arfau sy'n gwneuthur crefftwr

137. Arfer a wna athro

138. Arfer anarfer yw'r arfer waethaf

139. Arfer cŵn (/corgwn) yw cyfarth

140. Arfer yw mam pob meistrolaeth

141. Arglwydd gwan, gwae ei was

142. Arian a bryn ac a werth

14

143. Ateb araf gan ddysgedig

144. Ateb ynfyd yn ôl ei ynfydrwydd

145. Aur dan y rhedyn, arian dan yr eithin, newyn dan y grug

146. Aur, pawb a'i chwennych

147. Awr ddrwg: caffaeliad ffalsiwr

148. Awydd a dyr ei wddf

149. Bach hedyn pob mawredd

150. Bach pob dyn a dybio ei hun yn fawr

151. Bach yw popeth yn ei ddechrau

152. Bai ar farch, clod ar falwen

153. Bai bychan a gerdd ymhell

154. Bargen ddrud yw cyrchu o bell

155. Basaf dŵr a lefair

156. Bedd a wna pawb yn gydradd

157. Bid anwadal ehud
    ehud – ffôl

158. Bid wyw gŵr heb fagwraeth

159. Blaengar ymadrodd ffôl

160. Bolaid ci a bery dridiau

161. Bonedd a dywys, dillad a gynnwys

162. Bonedd ennill, bonedd o Dduw; bonedd geni, bonedd o ddyn

163. Bonedd mawr yw'r peth lleiaf yn llys doethineb

15

164. Bore pawb pan godo

165. Bost a chelwydd, nid deupeth ydynt

166. Brawd gweniaith i gelwydd

167. Brawd mygu yw tagu (/Ni waeth i ti fygu na thagu)

168. Breuddwyd gwrach wrth ei hewyllys

169. Bu lawer gwaith heb aeaf, ni bu erioed heb wanwyn

170. Buan i'r wledd, buan i'r bedd

171. Buan y barn pob ynfyd

172. Buan y rhed drwg chwedl

173. Buan y saetha ynfyd ei follt

174. Buan yn aeddfed, buan yn bwdr

175. Budd a ludd ludded
    lludd ludded – rhwystro blinder

176. Bwrw â'th unllaw, cais â'th ddwylaw

177. Bychan y tâl cyngor gwraig, ond gwae ŵr nas cymero

178. Bydd fwyn wrth fwyn o'th fodd,
    Bydd anfwyn wrth anfwyn o'th anfodd

179. Bydd rhywun eto wedi torri cynffon ei gi

180. Byddar a gaiff gyffelyb

181. Byr ach bonedd lle na pherthyn iddi na chrog na charn putain

182. Byr ei hun, hir ei hoedl

183. Byr feddwl wna hir ofal

184. Bys fu mewn marwor unwaith, nid â iddo eilwaith
   marwor – glo poeth

185. Byw i arall yw byw yn iawn

186. Cadarnach yw'r edau yn gyfrodedd
   cyfrodedd – cydredeg, sef dwbl

187. Cadw dy afrad erbyn dy raid

188. Cadw dy ardd, ceidw dy ardd dithau

189. Cadw'th air, a'th air a'th geidw dithau

190. Cadw'th enau yng nghaead a'th lygad yn agored

191. Caead y gist a gêl drysor a baw

192. Caiff cath (/brân) edrych ar y brenin (/frenhines)

193. Cais ffrwyn gref i farch gwyllt

194. Call a dwyll, callach a beidia

195. Call gŵr a ddygo ei elyn yn gâr iddo

196. Call pob ffôl yn ei olwg ei hun

197. Calla dawo

198. Callaf y dyn, anaml ei eiriau

199. Cam dros y trothwy yw hanner y daith

200. Camp ar ddyn yw bod yn eirwir

201. Camwrando a wna gamddwedyd

202. Cân di bennill fwyn i'th nain, fe gân dy nain i tithau

203. Canmol dy fro a thrig yno

204. Câr cywir, yn ing y'i gwelir

205. Câr dy gymydog ond cadw dy glawdd

206. Câr y llwyn a'th cysgodo

207. Cared doeth yr encilion

208. Cared yr afr ei mynn, bid ef yn ddu, bid ef yn wyn

209. Cariad a ganmol y bai, cenfigen a wêl fai lle ni bo

210. Cariad ni ŵyr feio, cas ni ŵyr ganmol

211. Carnleidr a grog y corleidr

212. Cas doeth heb weithredoedd da

213. Cas a addawo bob peth ac ni chywira ddim

214. Cas a dybia ei fod yn gall, ac yntau'n anghall

215. Cas a dybia ei fod yn well na neb ar bob peth ac yntau'n waethaf oll

216. Cas a ddysg lawer ac ni wypo ddim

217. Cas a ddywedo 'ie' gyda phob un

218. Cas a ddywedo lawer ac ni wrandawo ar neb

219. Cas a fygythio bawb ac ni bo ar neb ei ofn

220. Cas a garo ei les er afles ei gymydog

221. Cas a ogano arall am y beiau a fo arno ei hun
    goganu – dirmygu

222. Cas a wnêl ddrwg ac ni bo edifar ganddo

223. Cas a ymyrro heb achos

224. Cas athro heb amynedd

225. Cas barn heb ddangosau

226. Cas dyn a ddywedo lawer ac ni wrando ar neb

227. Cas dyn a farno arall am y bai a fo arno ei hun

228. Cas dyn a ymroddo mewn anurddas, er urddas un arall

229. Cas dyn a ymffrostio yn ei gywilydd ei hun

230. Cas gan ddrwg, ddrwg yn arall

231. Cas gwir heb alw amdano

232. Cas gŵr na charo'r wlad a'i mago (/magodd)

233. Cas maharen fieri

234. Cas ni chredo neb, na neb yntau

235. Cas ni wêl dda ac ni wêl dda yn eraill

236. Cas wely, cas godi

237. Cas y gwirionedd lle nis carer

238. Cas yr hwn y delo iddo lawer ac ni roddo ddim

239. Casaf gwas, gwas bach gwas neidr

240. Caswir ni charer

241. Cariad a orchfyga bopeth

242. Cartref yw cartref, er tloted y bo

243. Ceffyl (/March) da yw ewyllys

244. Cegin yw teml y glwth

245. Ceir gwall ar y callaf

246. Ceir llawer cam gwag trwy sefyll yn llonydd

247. Ceisied pawb ddŵr i'w long

248. Ceiniog anonest aiff â dwy ar ei hôl

249. Celfydd celed ei arfaeth

250. Celfydd dafod hawdd ei 'nabod

251. Celwydd golau a wna ddrwg ond i'r sawl a'i dywed

252. Celwydd pennaf, hanner y gwir

253. Cenad hwyr, drwg ei neges

254. Cenedl heb iaith, cenedl heb galon

255. Cenfigen a ladd ei pherchen

256. Ci a gerddo a gaiff

257. Ci a helio pob llwdn, ni bydd yn dda ar yr un
     llwdn – anifail

258. Ci tawel sy'n brathu

259. Cist wag a fag genfigen

260. Clyd clawdd i bob digariad

261. Clywir corn cyn ei weld

262. Cnoc dyn diog yw'r gorau i dorri carreg

263. Cof a lithr, llythyr a geidw

264. Cof gan bawb a gâr

265. Coledd neidr i'th fynwes a hi a'th frath am dy gymwynas

266. Colled un, ennill arall

267. Cos din taeog ac fe gach i'th ddwrn (/yn dy law)

268. Crach a ddywed 'crach' gyntaf

269. Craff ffroen glwth

270. Cred air ym mhob deg a glywi a thi a gei rywfaint o'r gwir

271. Curwch yr haearn tra bo'n boeth

272. Cwlwm eiddil a ollwng yn hawdd

273. Cwrw ym mol, twrw ym mhen

274. Cwsg gwir ar ddrain, ni chwsg anwir ar blu

275. Cwsg yw bywyd heb lyfrau

276. Cwyd y cudyn gwlân, cwyd y cudyn gwlân dithau

277. Cwyn rhugl rhag cwyn rhagddo

278. Cybydd, fel ceffyl melin, a ddwg ei lwyth i borthi eraill

279. Cyd bwyf ddigariad, rwyf ddigerydd
    cyd – er

280. Cyd celer nawnos, ni chelir nawmis

281. Cyd gwicho'r fen hi a ddwg ei llwyth

282. Cydwybod euog a ofna ei gysgod

283. Cydwybod yw'r nyth a ddeor pob daioni

284. Cydymaith ci ei gynffon (/losgwrn)
    llosgwrn – cynffon

285. Cyfaddef yw dengwaith iawn am y bai

286. Cyfaill blaidd, bugail diog

287. Cyfaill cywir, yn ing y'i gwelir

288. Cyfaill pawb: cyfaill neb

289. Cyfaill twym: gelyn twym

290. Cyfan ei glust: cyfan ei esgyrn

291. Cyfarch ŵr coch a gwraig farfog o hirbell

292. Cyfled a chyhyd erw wael ac erw dda

293. Cyfleustra a wna leidr

294. Cyfleustra yw hufen amser

295. Cyfoeth a bair falchder

296. Cyfoeth a goruchafiaeth yw'r ddau garn-gelwyddwr
    wna i ddyn gredu'i fod yn ddoeth

297. Cyfoeth a gudd pob anghyfiawn yn y byd

298. Cyfoeth a ychwanega lawer o gyfeillion

299. Cyfoethog i werthu, tlawd i brynu

300. Cyfoethog pob diddyled

301. Cyfoethog pob dyn a wêl ei ddigon

302. Cyfrif dy gardiau cyn cyfrif dy ennill

303. Cyngor doeth, gwell nag aur coeth

304. Cymerwch y mynydd o'i ben ac fe dderfydd

305. Cymydog da sydd well na brawd ymhell

306. Cymydog da yw clawdd

307. Cyn barnu mae dadlau

308. Cyn ceir tatws rhaid eu priddo

309. Cyn credu, mynn yr achos

310. Cyn dechrau, gwêl y diwedd

311. Cyn ebrwydded fynd i'r farchnad, croen yr oen a chroen y ddafad
    ebrwydded – hwylused

312. Cyn i'r defaid fynd allan o'r gorlan mae cau

313. Cyn medi rhaid yw hau

314. Cynefindra a fag ddirmyg

315. Cynhaeaf adfyd: cystudd

316. Cynt gwawd na pharch

317. Cynt meddwl na gweithred

318. Cynt y cwymp dâr na miaren

319. Cynt y cyferfydd dau ddyn na dau fynydd

320. Cynt y twyma gwaed na dŵr

321. Cyntaf ei og, cyntaf ei gryman

322. Cyntaf i'r efail gaiff bedoli

323. Cyntaf i'r felin gaiff falu (/Y cyntaf i'r felin, maler yn gyntaf)

324. Cyntaf yn lleidr, cyntaf yn frenin

325. Cystal achub ceiniog na'i hennill

326. Cyw (/Yr aderyn) a fegir yn uffern, yn uffern y mynn fod (/drigo)

327. Cyw o frîd sydd well na phrentis

328. Cyweiria dy wair tra bo'r tes

329. Chwaer i Mam yw modryb

330. Chwannog mab i'w hynt, chwannog adref a fo cynt

331. Chwarae ac na friw, cellwair ac na chywilyddia

332. Chwerw yng ngenau, melys yng nghyllau

333. Chwi biau'r byd, cechwch ynddo

334. Chwiban i faban, arad i ŵr

335. Chwynnwch eich gardd eich hun yn gyntaf

336. Da dant rhag tafod

337. Da cael us gan ddrwg dalwr

338. Da cael ynys mewn môr mawr

339. Da gan y gath bysgod, ond nid da ganddi wlychu ei thraed

340. Da gan y naill gi grogi'r llall

341. Da gwybod pob cyfrin cyn dodi dy gyngor

342. Da nad pell y rhagwêl dyn

343. Da traul ceiniog a weryd traul dwy
   gweryd – gwared

344. Da troi rhaid yn rheswm

345. Da y cofia plentyn

346. Da yr edwyn hen gath lefrith (/Edwyn hen gath lefrith)

347. Da yw Duw a hir yw byth

348. Da yw plygu'r wialen tra byddo'n ifanc

349. Da yw pob peth â diwedd da

350. Dalied ei eiddo, cipied pawb a allo

351. Dall fyddar pob twrch

352. Dall pob anghyfarwydd

353. Dallaf o bawb, na fynn weled

354. Dau dalu drwg – talu ymlaen a pheidio â thalu byth

355. Dau gi yn ymladd am yr un asgwrn, ond y trydydd a'i perchenoga

356. Daw hindda wedi drycin

357. Daw pob diwrnod â'i waith gydag ef

358. Daw rhew i lyffant

359. Daw rhywbeth o rywbeth, ddaw dim o ddim

360. Dechrau brân yw 'deryn du a dechrau mul yw 'sgyfarnog

361. Dechrau gorchwyl, hanner y gwaith

362. Dedwydd pob anwybod

363. Derfydd dannedd merch ynghynt na'i thafod

364. Deuparth celfyddyd, ei rhin
      rhin – cyfrinach

365. Deuparth dysg yw hyder

366. Deuparth ffordd, ei gwybod

367. Deuparth golud, bodlondeb

368. Deuparth gwaith yw ei ddechrau

369. Deuparth llwyddiant, diwydrwydd

370. Di-bech fywyd, gwyn ei fyd

371. Diboen i ddyn dybio'n dda

372. Dicllon pob clwyfus

373. Dichell a ymddrysa yn ei chroglath ei hun

374. Dieithryn a gaiff glod o bell yw gwirionedd

375. Diflanna geiriau ond erys gweithredoedd

376. Diflas byw heb awr lawen

377. Diflas fydd barn heb ei gofyn

378. Difyr gorchwyl a gerir

379. Dig pawb wrth a gâr

380. Digon gofal i of, ei ordd

381. Digon gwaith i bawb edrych ato'i hun

382. Digon i bob dyn ei faich ei hun

383. Digon i'r cloff yw cerdded

384. Digon yw digon (+/o fêl, +/o ffigys, +/o ganu'r gân)

385. Digon yw digon a gormod sydd flin
    Gofid yw rhagor na elli ei drin

386. Digon i'r diwrnod ei ddrwg ei hun

387. Dillad a gynnwys

388. Dillyn ieuanc, carpiog hen

389. Dim glaw Mai, dim mêl Medi

390. Dim poen, dim elw

391. Dim o ddim a ddaw

392. Dinas a osodir ar fryn, ni ellir ei chuddio

393. Diofal a fydd diofyn

394. Diofal cwsg potes maip

395. Diofal yw dim

396. Diogel cedwir rhin nas gwyper

397. Distadl a gwael pob hawdd ei gael
    distadl – isel

398. Diwedd pob trais: tristwch

399. Diwedd y gân yw'r geiniog

400. Dod i gadarn ei ran, neu fe'i mynn

401. Doeth a edwyn ynfyd, nid edwyn ynfyd ddoeth

402. Doeth a geidw ei ddameg nes bod yn rhaid

403. Doeth a gyhudd ei hunan, annoeth ar arall

404. Doeth a newid ei farn, ffôl a'i ceidw'n gadarn

405. Doeth a wrendy, ffôl a lefair

406. Doeth dwl (/ffôl) tra tawo

407. Doeth dyn tra tawo

408. Doeth pob tawgar

409. Drwg ei hun a dybia eraill

410. Drwg pawb o'i wybod

411. Drwg trallodion, gwaeth hebddynt

412. Drwg yw'r chwarae ni enillo neb

413. Drwg yw'r gŵr a lygra'i lety

414. Drwgdybus, drwg eisys

415. Drych i bawb ei gymydog

416. Drych i ddyn ei gydymaith

417. Dull ddoe'n ôl, ni eill dyn alw

418. Dweud y gwir sy' dda bob amser,
     Dweud y gwir sy'n digio llawer

419. Dwy yw'r geiniog a gynilir

420. Dwywaith yn blentyn ac unwaith yn ddyn

421. Dyfal y donc (/Aml gnoc) a dyrr y garreg

422. Dyfnaf lyn, llyn llonydd

423. Dygn i adael a garer

424. Dylêd ar bawb ei addo (/addewid)

425. Dyled ar bawb, nid yw ddyled ar neb

426. Dyn glân yw glân ei gampau (/Glendid dyn, ei gampau)

427. Dyn gorwag a fag falchder

428. Dywed yn dda am dy gyfaill, am dy elyn na ddywed ddim

429. Eang yw'r byd i bawb

430. Ebrwydd gael, ebrwydd golli

431. Ebrwydd treng dicter dedwydd

432. Edau rhy dynn a dyr (/Rhy dynn a dyr)

433. Edifar cybydd am draul

434. Edrych pa le y disgynna cyn neidio

435. Edrych y pwll cyn ei neidio

436. Egni a lwydd

437. Eilfam, modryb dda

438. Eli calon, cwrw da

439. Eli i bob drwg yw amynedd

440. Elw drwg, fe dawdd yn ddi-rad

441. Elw pur, heb antur ni bydd

442. Eithaf dŵr yw boddi

443. Enbyd yw'r frwydr yn ei dechreuad

444. Enllib ni châr ei enllibio

445. Enllyn bara da yw eisiau bwyd

446. Er cymaint y ddrycin, daw eto sychin

447. Er heddwch a rhyfel, gwenynen farw ni chasgl fêl

448. Er meddu gormodion, ni wêl ond y doeth ei ddigon

449. Erbyn nos y mae adnabod gweithiwr

450. Esgud drygddyn yn nhŷ arall
esgud – cyflym

451. Esgud (/Ystig) yw'r diog yn nhŷ ei gymydog
ystig – diwyd

452. Esmwythach cysgu ar eithin nag ar gydwybod euog

453. Ewyn dŵr, addewid gwas

454. Euog a dry gellwair yn wir

455. Euog a ffy heb neb yn ei erlid

456. Fe bryn y byd benffrwyn i bawb

457. Fe chwery mab noeth, ni chwery mab newynog

458. Fe ddaw eto haul ar fryn;
(+/Os na ddaw'r egin, mi ddaw'r chwyn)

459. Fe ddaw haf i gi

460. Fe ellir bwyta gormod o fêl

461. Fe folir pawb wrth ei waith

462. Fe fynn y gwir ei le

463. Fe gaiff dyn ddysg o'i febyd i'w fedd

464. Fe gaiff pob bwyd ei fwyta

465. Fe gân pob ceiliog ar ei domen ei hun

466. Fe geir gwall ar y callaf

467. Fe gerdda dall y ffordd weithiau

468. Fe glywir corn er nas gwelir

469. Fe greda rhywun bob stori

470. Fe gwsg galarus ond ni chwsg gofalus

471. Fe olch dŵr tra cherddo

472. Fe wêl y diog le i eistedd ym mhobman

473. Fe ŵyr y gath pa farf a lyf

474. Fel bo'r hwch y bo'r perchyll

475. Fel y bydd y dyn y bydd ei lwdn

476. Fel y try'r ddôr ar ei cholyn y try'r diog yn ei wely

477. Ffawd pawb sy'n ei dalcen

478. Ffôl a fwyty'r mêl o'r cwch

479. Ffôl a grwydra, doeth a deithia

480. Ffon mewn llwyn, arall a'i dwyn

481. Ffrind gorau: gelyn pennaf

482. Ffynnon pob anffawd: diogi

483. Ffynnon pob llwyddiant: ymgais

484. Gad yfory tan yfory

485. Gaeaf glas; mynwent fras

486. Gaeaf gwyn; ysgubor dynn

487. Gair dannod yw am un a fethodd
dannod – edliw

488. Gair drwg anianol a lysg ddrwg ar ei ôl

489. Gair garw a gyffry ddigofaint

490. Gair i gall a ffon i angall

491. Gair i gall sydd werth can gair i anghall

492. Gair mwyn a wna ddadl yn gadarn

493. Gall newydd drwg hedfan heb un adain

494. Gall y tafod dorri pen

495. Gan bwyll y gwneir pastai o'r gwybed mân

496. Gan y gwirion y ceir y gwir

497. Gelyn gwaethaf dyn fydd ei gyfaill

498. Gelyn i ddyn ei dda

499. Gellir yfed yr afon ond ni ellir bwyta'r dorlan

500. Gewyn (/Migwrn) o ddyn sydd well na mynydd o ddynes (/wraig)

501. Glanaf ei dafod, butraf ei din

502. Gloywach dŵr yn y ffynnon nag yn y ffrwd

503. Gnawd ar eiddil ofalon
    gnawd – arferol

504. Gnawd gwên ar enau anghywir

505. Gnawd i feddw addef ei feddwl

506. Gnawd mwyalch ymhlith drain

507. Gobaith heb gais; mordwy heb long

508. Gobennydd esmwythaf y Diafol yw calon garreg

509. Gochel â'th dafod dyllu dy fedd

510. Gochel adrodd faint a glywech,
Gochel ddywedyd faint a wypech,
Dywed wir pan orffo'i draethu,
Nes bo raid gwell weithiau'i gelu.

Rhys Pritchard

511. Gochel dy hun yr hyn a feï yn eraill

512 Gochel ddamegu dy rin
rhin –cyfrinach

513. Gochel gyfaill a êl yn feistr

514. Gochel gyngor y gath i'r llygoden

515. Gochel i chwarae droi'n chwerw

516. Gochel i'r hwch fynd drwy'r siop

517. Gochel rhag boddi yn (/wrth) y lan

518. Gochel wario swllt i ennill ceiniog

519. Gochel y cam cyntaf i wneuthur drwg

520. Gofala pob ci am ei gynffon

521. Gofalon fel naw ton eigion, y naill ar gefn y llall

522. Gofidio yw mam gofidiau

523. Golwg pawb ar a garo

524. Gonest pob lleidr hyd nes y'i delir

525. Gorau adnabod: adnabod dy hun

526. Gorau arf: arf dysg

527. Gorau athro: adfyd

528. Gorau camp: cadw

529. Gorau cerdd gan dylluan: tylluan arall

530. Gorau cof: llyfr

531. Gorau cydymaith: ceiniog

532. Gorau cyfaill: bathodyn
     bathodyn – dernyn o arian

533. Gorau cyflog a fyddo was iddo'i hunan

534. Gorau cyfoeth: iechyd

535. Gorau Cymro: Cymro oddi cartref

536. Gorau cymwynas: dangos bai

537. Gorau dial: dangos cam a'i faddau

538. Gorau edifeirwch: edifeirwch gwerthu

539. Gorau freuddwyd a welir liw dydd

540. Gorau gormes: taeog ar daeog

541. Gorau gwaith: wythnos gwas newydd

542. Gorau gwraig: gwraig heb dafod

543. Gorau iechyd: iechyd enaid

544. Gorau meddyg: meddyg enaid

545. Gorau meistr: a fu was

546. Gorau nawdd: diniweidrwydd

547. Gorau pen: pen ar gynnen

548. Gorau peth: peth a gollwyd

549. Gorau pregeth: buchedd dda
buchedd – bywyd

550. Gorau prinder: prinder geiriau

551. Gorau tynged: diwedd da

552. Gorau yw'r chwarae tra ader

553. Gorbwyll anffawd ys dir y daw
ys dir – yn sicr
gorbwyll – gorfeddwl am . . .

554. Gormes esmwythder fydd anodd ei drin

555. Gormes mawr a dawdd o flaen glewder bychan
glewder – dewrder

556. Gormesa y taeog ar ei gilydd

557. Gormod gobaith a dwylla

558. Gormod o bwdin dagith gi

559. Gormod o ddim nid yw'n dda

560. Gormod rhyddid a dry'n gaethiwed

561. Gorwedd yw diwedd pob dyn

562. Gwaddod gŵyth, gair blwng
gŵyth – dicter
blwng – blin

563. Gwae a arhoso ei ginio o din dafad yn y glaw

564. Gwae a ddygo dreftad gweddw ac amddifad

565. Gwae a fâg neidr yn ei fynwes

566. Gwae a fo'n ffôl ac a gymer arno fod yn ffolach

567. Gwae a gaffo ddrygair yn ieuanc

568. Gwae a gredo pob chwedl a glyw

569. Gwae a wêl ac ni wêl ei hunan

570. Gwae a wnêl ac ni ŵyr pam

571. Gwae a wnêl falchder o gam arferau

572. Gwae ddrwg arfer yn ieuanc

573. Gwae ieuanc a eiddun henaint
   eiddun – ddymuna

574. Gwae ni adwaen ei hunan

575. Gwae undyn a wnêl gant yn drist

576. Gwae ŵr a gaffo ddrygwraig (/wraig a gaffo ddrygwr)

577. Gwae y tŷ ni chlywer lais cerydd

578. Gwaeth cyfaill gau na'r gelyn creulonaf

579. Gwaethaf twyll: twyll ymddiried

580. Gwaethaf rhyfel: rhyfel cartref

581. Gwaith celfydd, celu rhin
   rhin – cyfrinach

582. Gwaith pawb: gwaith neb

583. Gwaith y nos, y dydd a'i dengys

584. Gwaith ysgafn ymochel

585. Gwag ochain, ni fâg iechyd

586. Gwala (/Cywala) gweddw, gwraig unben
   gwala/cywala – yr hyn sy'n dod i ran

587. Gwan dy bawl yn Hafren, Hafren fydd hi fel cynt
gwan – taflu i mewn (trywanu)
pawl – polyn

588. Gwan ei galon a gyll

589. Gwan ieuanc a gwan hen

590. Gwas da a gaiff ei le

591. Gwas gwael, hawdd ei hepgor

592. Gwastad mewn brys, gwastad ar ôl

593. Gweddw crefft heb ei dawn

594. Gweddw dawn heb ei chrefft

595. Gweddw pwyll heb amynedd

596. Gwell a blygo nag a dorro

597. Gwell aderyn mewn llaw na dau mewn llwyn

598. Gwell angau na chywilydd

599. Gwell annysg gwâr na dysg anwar

600. Gwell asyn a'm dygo na march a'm taflo

601. Gwell bachgen call na brenin ffôl

602. Gwell bendith y tlawd na meistrolaeth y cadarn

603. Gwell bod yn dipyn o gnaf nag yn ormod o ffŵl

604. Gwell bod yn wrthrych cenfigen na thosturi

605. Gwell câr yn y llys nag aur ar fys

606. Gwell clod na golud

607. Gwell ceiniog fach trwy ffordd ddigamwedd
Na chweugain aur trwy drais a ffalsedd
Rhys Pritchard

608. Gwell ceiniog na brawd

609. Gwell ceisio heb lwyddo na llwyddo heb geisio

610. Gwell clwt na thwll

611. Gwell crefft na golud

612. Gwell cyngor doeth nag aur coeth

613. Gwell cymydog o agos na brawd o bell

614. Gwell dryw mewn llaw na gŵydd ar adain

615. Gwell dwylo'r cigydd na dwylo'r sebonydd

616. Gwell dysg na golud

617. Gwell edifar gwerthu nag edifar prynu

618. Gwell ffrwythlon fiaren na diffrwyth afallen

619. Gwell gochel mefl na'i ddial
mefl – sarhad

620. Gwell goddef cam na'i wneuthur

621. Gwell gwaith cryman na bwa

622. Gwell gŵr a ddaw ymhen y flwyddyn na'r gŵr na ddaw byth

623. Gwell hanner na dim

624. Gwell heddwch cydwybod na ffafr byd o bobl

625. Gwell hir bwyll na thraha

626. Gwell hir weddwdod na drwg briod

627. Gwell hwyr na hwyrach

628. Gwell i ddyn y drwg a ŵyr na'r drwg nis gŵyr

629. Gwell i wraig y pysgotwr na gwraig y gwynfydwr

630. Gwell iechyd na golud

631. Gwell maen garw a'm hatalio na maen llyfn a'm gollyngo

632. Gwell moes na bonedd

633. Gwell na chyhudder drygioni na'i adael heb ei gosbi

634. Gwell parsel (/cowlad) bach a'i ddal (/wasgu) yn dynn

635. Gwell plygu na thorri

636. Gwell pwyll nag aur

637. Gwell rhinwedd cardotyn na mawredd brenin

638. Gwell rhy draws na rhy druan
     traws – cas

639. Gwell rhyw bryd na byth

640. Gwell synnwyr na chyfoeth

641. Gwell tŷ gwag na thenant gwael

642. Gwell un hwda na dau addo (/'ti gei')

643. Gwell un llygad perchen na dau lygad gwas

644. Gwell y ci a gyfartho na'r ci a fratho

645. Gwell y ci o farw y llall

646. Gwell y wialen a blyga nag un a dyr

647. Gwell yng nghysgod y gawnen na heb ddim
cawnen – brwynen

648. Gwell yn y crochan nag yn y tân

649. Gwell yw cadw o'r llaid na cheisio ei olchi i ffwrdd

650. Gwell yw dal llyfrothen na cholli bach
llyfrothen – math ar bysgodyn bychan

651. Gwell yw gweld pen buwch na chynffon tarw

652. Gwell yw'r edau yn gyfrodedd
cyfrodedd – cydredeg, dwbl

653. Gwell yw'r heddwch gwaethaf na'r rhyfel orau

654. Gwellwell cyfreithiau, gwaethwaeth defodau

655. Gwên deg â gwenwyn 'dani

656. Gwers gyntaf doethineb: adnabod dy hunan

657. Gwerth dy wybodaeth i brynu synnwyr

658. Gwir a wna ei ffordd drwy bob dyrys

659. Gwirion pawb ar ei air ei hun

660. Gwirionaf, gwirion hen (/Dwlaf dwl, dwl hen)

661. Gwlad biau barnu

662. Gŵr dieithr yw yfory

663. Gŵr diog: llawffon y Diawl

664. Gwrtaith da yw gwenwyn

665. Gwybedyn y dom a gwyd uchaf

666. Gwybod fesur dy droed dy hun

667. Gwybydd y cyfan a dod dy gyngor

668. Gwyn pob newydd, llwyd pob hen

669. Gwyn y gwêl y frân ei chyw, boed iddo ba liw y mynno

670. Gwyn yw'r tir lle nis gwelir

671. Gwywa'r rhosyn prydferthaf

672. Gyda'r ci y cerdd ei gynffon

673. Gyda'r nos y cyfyd malwod

674. Gyrrir y cŷn a gerddo

675. Haearn a hoga haearn

676. Haelioni i bawb, cyfeillgarwch i ychydig

677. Hael Hywel (/Owain) ar bwrs y wlad

678. Hai o hyd i'r ceffyl parod

679. Hanner y wledd, hoffedd yw

680. Hardd blodau eithin, ond ar lymion ddrain y tyfant

681. Hardd pob newydd

682. Hawdd bod ddoeth drannoeth y digwydd

683. Hawdd canfod ffôl mewn ffair

684. Hawdd codi ar euog arswyd

685. Hawdd cymodi lle bo cariad

686. Hawdd cynnau eithin crin, anodd ei ddiffodd

687. Hawdd cynnau tân ar hen aelwyd

688. Hawdd cysgu mewn croen cyfan

689. Hawdd gwneud lleidr o gybydd

690 Hawdd i weniaith dwyllo unwaith

691. Hawdd peri i fingam wylo
mingam – ceg gam

692. Hawdd peri i fonheddig sori

693. Hawdd sigo hen glwyf

694. Hawdd talu ffug i ffôl

695. Hawdd toli yn helaeth o dorth gŵr arall
toli – cymryd

696. Hawdd tynnu gwaed o ben crach

697. Hawdd yf a wêl ei wely

698. Hawdd yw clwyfo claf

699. Hawdd yw dwedyd 'Dacw'r Wyddfa',
Nid eir drosti ond yn ara',
Hawdd i'r iach a fo'n ddiddolur
Ddweud wrth yr afiach gymryd cysur.

700. Hawdd yw dywedyd pymtheg

701. Haws barnu na saethu

702. Haws bwrw tŷ i lawr na'i adeiladu

703. Haws cadw na chynnal

704. Haws cau llygaid na chau ceg

705. Haws dweud na gwneud

706. Haws gweld twll na'i drwsio

707. Haws gwên ar y genau na phurdeb yn y galon

708. Haws gwneud hebog o farcud na marchog o daeog

709. Haws llenwi bol na llygaid

710. Haws twyllo maban na thwyllo gwrachan

711. Haws yw dechrau cynnen na'i diweddu

712. Haws yw dywedyd mawr na gwneuthur bychan

713. Haws yw dywedyd mynydd na mynd drosto

714. Haws yw diwygio gair na gweithred

715. Heb ei fai, heb ei eni (/Nid oes neb heb ei fai)

716. Hed amser

717. Hedyn pob drwg: diogi

718. Heddiw'n angel; yfory'n gythraul

719. Heddiw'n ddyn; yfory'n farw

720. Helbulus yw bod yn dlawd

721. Helynt flin yw pobi heb flawd

722. Hen a deimla ergydion a gaed yn ifanc

723. Hen a ŵyr; ifanc a dybia

724. Hen bechod a wna gywilydd newydd

725. Henaint ni ddaw o'i hunan

726. Hir aros (/y bydd) mud ym mhorth y byddar

727. Hir fydd edau gwraig eiddil

728. Hir gnif nid esgor ludded
cnif – poen

729. Hir y bydd chwerw hen alanas
galanas – cweryl gwaed, llofruddiaeth

730. Hir y byddir yn cnoi tamaid chwerw

731. Hir yw byth

732. Hir yw pob ymaros (/Hir pob aros)

733. Hoff gan bob edyn ei lais
edyn – aderyn

734. Hwy clod na hoedl

735. Hwyr yn ŵr; hwyr ym medd

736. Hyder a wna ddringiedydd
dringiedydd – un sy'n dringo

737. Hyf pawb yn absen ofn
absen – absenoldeb

738. Hyf pob ceiliog ar ei domen ei hun

739. Hysbys y dengys y dyn,
O ba radd y bo'i wreiddyn
Tudur Aled

740. I ffon gam mae cysgod cam

741. I galon wan, da traed buan

742. I ti heddiw, i bwy yfory?

743. I'r goriwaered y treigl cerrig

744. I'r newynog mae crystyn yn wledd

745. I'r pant y rhed y dŵr

746. I'r pur; popeth sydd bur

747. Iach pen cachgi drannoeth

748. Iach rhydd; rhyfedd pa gŵyn

749. Iachaf croen: croen cachgi

750. Lladd gloddest yw newynu'r meddyg

751. Llafar oen a chalon blaidd

752. Llafur a orfydd ar bob peth

753. Llais dalen yn y gwynt a darf gydwybod euog

754. Llawen meichiad pan fo gwynt
    meichiad – bugail moch

755. Llawer a ddyfynnwyd, ychydig a ddewiswyd

756. Llawer a ddywed llawer o ddynion

757. Llawer aderyn glân o nyth budr

758. Llawer afal teg o'r tu allan sy'n bwdr o'i mewn

759. Llawer bai sydd eto ynghudd

760. Llawer cellwair a ddigwydd yn wir

761. Llawer daear gan hen lwynog

762. Llawer dyn a wna gynnig drwg dros dda

763. Llawer gair yn wynt a â heibio

764. Llawer gwaith y galwyd y melinydd yn lleidr

765. Llawer gwir; drwg ei ddwedyd (/gorau ei gelu)

766. Llawer gwir; rhy hyll i'w adrodd

767. Llawer hagr, hygar fydd
Llawer teg, drwg ei ddefnydd
hygar – caredig

768. Llawer o'r dŵr â heibio heb wybod i'r melinydd

769. Llawer peth, drwg ei weled

770. Llawer sydd rhwng byw a digon

771. Llawer un a ddwg newyn, ac er hynny, gwraig a fynn

772. Lle aml y syfi, aml y nadroedd

773. Lle blaena balchder y canlyna cywilydd

774. Lle bo camp, bydd rhemp

775. Lle bo dŵr bydd brwyn (/Mae dŵr lle bo brwyn)

776. Lle byddo drwg feistr y gwelir drwg was

777. Lle clyd i fethu; lle oer i ffynnu

778. Lle crafa'r iâr y piga'r cyw

779. Lle digwydd adwy, cerdd pawb trwyddi

780. Lle mab yw treio, lle merch yw cadw

781. Lle mae dy drysor y mae dy galon

782. Lle mae llawer o dda mae llawer o ddifa

783. Lle ni bo dysg, ni bydd dawn

784. Lle ofna'r saint, y ffôl fydd dalsyth

785. Lle'r ymgreinio'r march y gedy beth o'i flew
ymgreinio – rwbio
gedy – gadawa

786. Lleiaf rhan: rhan y rhannwr

787. Lleidr a eilw (/ddywed) 'lleidr' yn gyntaf

788. Lleidr garw ydyw tŷ

789. Lletaf fydd y bisweilyn o'i sathru

790 Lleufer dyn yw llyfr da

791. Llid yw mam bradwriaeth

792. Llong i longwr a melin i felinydd

793. Llon fydd colwyn ar arffed ei arglwydd
colwyn – ci bach

794. Llon llygod lle ni bo cath

795. Llosg unwaith; cof ganwaith

796. Llwm tir na phoro dafad

797. Llwyddiant yr ynfyd a'i lladd yn y diwedd

798. Llygad y segur a wylia

799. Llyma'r maes; llyma'r ysgyfarnog

800. Llymach tafod na chledd

801. Llysenwa gadarn yn gall rhag ei ofn

802. Llysywen mewn dwrn yw arian

803. Maddau i bawb o flaen dy hunan

804. Mae achos da yn gwneud braich gref

805. Mae adfyd yn profi cyfeillion

806. Mae arian yn was da ond yn feistr drwg

807. Mae awr yn dda i bopeth, hyd yn oed i ddrygioni

808. Mae baw o bell yn well nag aur gartref

809. Mae blas ar beth; does dim blas ar ddim

810. Mae bol (/calon) sawl afal bochgoch yn ddigon du

811. Mae brân i frân (+/yn rhywle)

812. Mae ceiliog y rhedyn yn canu'n yr haf a newynu'n y gaeaf

813. Mae clustiau gan gloddiau a llygaid gan berthi

814. Mae cystal pysgod yn y môr ag a ddaliwyd

815. Mae dafad ddu ym mhob praidd

816. Mae dau ben i bob llinyn

817. Mae distawrwydd yn fynych yn ateb

818. Mae dwy ffordd i'r coed (/eglwys)

819. Mae eisiau ceiliog (/'deryn) glân i ganu

820. Mae eli i bob dolur

821. Mae gan bawb eu pobl

822. Mae gobaith gŵr o ryfel; nid oes obaith neb o'r bedd

823. Mae gwaed yn dewach na dŵr

824. Mae gweithredoedd yn well na gair

825. Mae i bawb ei helbul

826. Mae i bob cyflwr ei ofidiau

827. Mae llaid yn y ffynnon lanaf

828. Mae llathen o gownter yn well nag acer o dir (/na mynydd o graig)

829. Mae llawer ffordd i'r ffair

830. Mae llawer gair yn drymach na gordd

831. Mae llwdn piblyd yng nghorlan pawb

832. Mae mistar ar Fistar Mostyn

833. Mae modfedd yn llawer mewn trwyn

834. Mae natur y cyw yn y cawl

835. Mae plant Adda i gyd o'r un duedd

836. Mae pob un heb yn wybod yn dangos beth yw

837. Mae poen ar rai â phlant; mae'n dyblu ar y diblant

838. Mae prawf y potes yn y bwyta

839. Mae pwll budr neu garreg lithrig ym mhob man (/ar lwybr pawb)

840. Mae pwrpas yn gystal â gwaith

841. Mae rhai 'rôl ffraeo yn fwy caredig

842. Mae rhyw afael gan garreg sy'n ddwfn yn y tir

843. Mae rhyw gath yng nghwpwrdd pawb

844. Mae rhywbeth bach yn poeni pawb

845. Mae 'siampl dda yn well na chyngor

846. Mae 'taw' yn agos at bawb

847. Mae trai i bob llanw

848. Mae yna fwy nag un baw ci (/bwa) yng Nghaer

849. Mae yna fwy nag un ffordd o gael Wil i'w wely

850. Mae ysgol i'w chael o febyd hyd fedd

851. Mae'n ddiweddar gwneuthur bad,
Pan fo dilyw hyd y wlad
Rhys Pritchard

852. Mae'n dost ar a ddymuna farw, mae'n dostach ar a'i hofno

853. Mae'n rhaid i'r gwychaf gachu

854. Mae'n rhy hwyr 'difaru wedi i'r ffagl gynnu

855. Mae'r awr dywyllaf cyn y dyddio

856. Mae'r byd i'r ieuanc

857. Mae'r ci olaf yn dal yr ysgyfarnog weithiau

858. Mae'r cŵn yn cyfarth wrth eu natur

859. Mae'r cybydd bob amser mewn angen

860. Mae'r Diawl yn dda tra sidaner

861. Mae'r falwen yn haeddu pen ei thaith

862. Mae'r goludog yn ymfrasu ar ddagrau'r tlodion

863. Mae'r gorau'n llithro (/colli) weithiau

864. Mae'r hyn sy'n anrhydeddus yn anodd

865. Mag llwfr lawer cyngor

866. Magu plant: magu poen

867. Mam esgud wna ferch ddiog

868. Mam y drwg yw'r arian

869. Man gwyn: man draw

870. Manars ni cheir mohonynt,
    Yn y siop wrth dalu amdanynt

871. Mawr yw llwnc y byd

872. Mawr yw march mewn pastai

873. Medd a ddiosg y mwgwd

874. Meddwl ddwywaith cyn taro unwaith

875. Meddygon cleuon i'm clwyf, ni cheisiaf
    cleuon (unigol = *clau*) – cyflym

876. Megir ym mhob tir ddyn teg

877. Meistr pob gwaith yw ymarfer

878. Melys bwyd a wahardder

879. Melys bys pan losgo

880. Melys cwsg potes maip

881. Melys gair da am a garer

882. Melys hun y gweithiwr

883. Melys moes mwy

884. Melys pan geir, chwerw pan delir

885. Melys pleser ar ôl poen

886. Melysach afal o'i ddwyn

887. Mesured pawb wrth ei lathen ei hun

888. Mewn undeb mae nerth

889. Mi adwaen iwrch er nas daliwyf
iwrch – math ar garw

890. Mi adwaen llwynog er nas goddiweddwyf
goddiweddwyf – daliwyf

891. Modrwy aur yn nhrwyn yr hwch yw benyw lân heb synnwyr

892. Mogel rhag 'pei gwybuaswn'
mogel – gochel

893. Moled pawb y rhyd fel y caffo

894. Mud pob anghyfiaith

895. Mursen a fydd o ŵr fel o wraig

896. Mwy llafar diog na diwyd

897. Mwy nag un ci a'm cyfarthodd i

898. Mwy nag y mae da i'r blaidd, nid da ei isgell

899. Mwy parch hynaws na hynod

900. Mwya'r brys; mwya'r rhwystr (/llestair)

901. Mwya'i ddeall, na ymddiriedo yn ei ddeall ei hun

902. Mwya'i fai rydd fai ar arall

903. Mwya'u trwst, llestri gweigion

904. Mwya' poen, poen methu

905. Mwya' y byddo dyn yn byw, mwya' a wêl a mwya' a glyw

906. Mynych heb raid bod ar wall

907. Myfi sy' frenin fy ngair cyn y dwedwy'

908. Na ad i'th dafod dorri dy wddf

909. Na ad i'r haul fachludo ar dy lid

910. Na ad i'th fola fynd â synnwyr dy ben

911. Na chais gellwair â'th elyn

912. Na chais mewn cyfyngder gyfeillach ag ofnog

913. Na chanmol drennydd

914. Na chellwair hyd liwied
     lliwied – edliw

915. Na choll dy henffordd er dy ffordd newydd

916. Na chwâr hyd niwed (+/na chellwair hyd liwied)

917. Na chwsg Fehefin rhag rhew Ionawr

918. Na chyfra'r cywion yn eu cibau

919. Na drygddyn, gwell ci da

920. Na ddangos dy wyneb lle bo'r meddwon

921. Na ddeffro'r ci sy'n cysgu

922. Na ddirmyg ŵr bychan o ofyn dy gyngor

923. Na ddiystyrwch y tlawd; fe aned pob un yn noeth

924. Na ddymuna o'r byd ond dy ddigon

925. Na farnwch fel na'ch bernir

926. Na fid dy wraig dy gyfrin

927. Na fram oni'th wthier
bramu – rhechain

928. Na fydd anhrugarog wrth euogion

929. Na fydd frad fugail i'r a'th gredo

930. Na fydd rhy foethus lle galler dy hepgor

931. Na fynych dramwyo lle bo mwyaf dy groeso

932. Na phryn gath mewn ffetan (/cwd)

933. Na ro bys yng nghlustiau'r mul
(rhoi syniad ym mhen rhywun)

934. Na ro dy law ar ben ci brathog

935. Na ro goel ar newyddion oni bônt yn hen

936. Na sang ar droed ci chwerw

937. Na waria'th geiniog cyn ei chael

938. Na wna yn elyn a ŵyr y cyfan amdanat

939. Na wthia'r cwch i'r dŵr

940. Na wrthod barch pan y'i cynigier

941. Nac arwain gelwydd

942. Nac ymddiried i sawdl march na dant ci

943. Nawf maen hyd waelod
nawf – nofia

944. Nerth cadwyn: ei dolen wanaf

945. Nerth gwraig ei thafod

946. Nerth morgrugyn: ei ddiwydrwydd

947. Nerth Sais: ei ddichell (/hyder)

948. Nerth ysguthan yn ei hadenydd

949. Nes penelin nag arddwrn

950. Newydd drwg sy'n dod mewn clocsiau;
newydd da yn nhraed ei sanau

951. Ni all march ddwyn mwy na'i bwn

952. Ni all neb namyn ei allu

953. Ni all y glaw ond gwlychu

954. Ni bu allt heb oriwaered

955. Ni bu Arthur ond tra bu

956. Ni bu gu iawn na bai gas

957. Ni bu llanw na bu trai

958. Ni bydd bual o losgwrn ci
bual – corn yfed
llosgwrn – cynffon

959. Ni bydd budd o ychydig

960. Ni bydd chwedl heb ystlys iddi

961. Ni bydd eofn noeth yn ysgall

962. Ni bydd fwsoglog maen a fynych symuder

963. Ni bydd gyfoethog rhygall

964. Ni bydd hybarch dyn lle y mynych gyrcho

965. Ni bydd hybarch (/rhybarch) rhy gynefin

966. Ni bydd neb broffwyd yn ei wlad ei hun

967. Ni bydd neb llyfn heb ei anaf

968. Ni chaiff chwedl nid êl o'i dŷ

969. Ni chaiff rhy anfoddog rhybarch

970. Ni chais doeth ond a allo gyrraedd

971. Ni châr buwch hesb lo

972. Ni châr hen fuwch ddyniawed
   dyniawed – llo blwydd

973. Ni châr morwyn fab o'i thref

974. Ni cheffir gwaith gŵr gan was

975. Ni cheffir gwastad i bêl

976. Ni cheidw'r Diawl (/Diafol) ei was yn hir
   (/Drwg y ceidw'r Diawl ei was)

977. Ni cheir afal pêr o bren sur

978. Ni cheir bwyd taeog yn rhad

979. Ni cheir da heb lafur

980. Ni cheir da o hir gysgu

981. Ni cheir gan y llwynog ond ei groen

982. Ni cheir gweled mwy o'n hôl
   Nag ôl neidr ar y ddôl,
   Neu ôl llong aeth dros y tonnau,
   Neu ôl saeth mewn awyr denau.
                    Rhys Pritchard

983. Ni cheir gwlad heb lafur

984. Ni cheir gwlân rhywiog ar glun gafr

985. Ni cheir mo'r afal i chwarae ac i fwyta

986. Ni cheir y geiniog a'r geiniogwerth

987. Ni cheir y melys heb y chwerw

988. Ni chêl drygdir ei egin

989. Ni chêl grudd gystudd calon

990. Ni chêl ynfyd ei feddwl

991. Ni chenir cloch i fyddar

992. Ni cherir newynog

993. Ni chlyw madyn ei ddrycsawr ei hun
    madyn – llwynog

994. Ni chlyw Wilcyn beth nis mynn

995. Ni chred eiddig, er a dynger
    eiddig – un cenfigennus

996. Ni chwennych morwyn fynach baglog
    baglog – gyda ffon

997. Ni chwsg gofalus (+/ond fe gwsg galarus)

998. Ni chwsg serch

999. Ni chwyn (/wich) ci o'i daro ag asgwrn

1000. Ni chyll cybydd mo'i les, er ei gywilydd

1001. Ni chymero ei barch, cymered ei amharch

1002. Ni ddaw drwg i un na ddêl da i arall

1003. Ni ddaw lleidr at ustus byth o'i fodd

1004. Ni ddaw noswyl ddim cynt wrth ladd amser

1005. Ni ddawr croesan pa gabl
ni ddawr – nid oes wahaniaeth gan
croesan – ffwl mewn llys
cabl – sarhad

1006. Ni ddawr dedwydd pa addef

1007. Ni ddawr i'r iâr bod y gwalch yn glaf

1008. Ni ddawr putain pa gnuch
cnuch – cyfathrach rhywiol

1009. Ni ddeil dim mwy na'i lond

1010. Ni dderfydd cyngor

1011. Ni ddichon gwan ond gweiddi

1012. Ni ddringo; ni syrth

1013. Ni edrych angau pwy decaf ei dalcen

1014. Ni ehedodd gŵydd dew erioed ymhell

1015. Ni eill dyn ochel tynged

1016. Ni elwir coed o unpren

1017. Ni ellir barnu ni wrandawo

1018. Ni ellir bwyta'r wy cyn ei ddodwy

1019. Ni ellir bwyta'r ysgyfarnog cyn ei dal

1020. Ni ellir cadw torth a'i bwyta

1021. Ni ellir da o hir gysgu

1022. Ni ellir dwyn dyn oddi ar ei dylwyth

1023. Ni enir pawb yn ddoeth

1024. Ni fawrheir tra organer
       goganu – dirmygu

1025. Ni fu erioed dda o hir chwarae

1026. Ni futra llaw dyn yn gwneuthur elw iddo'i hun

1027. Ni fynn pan gaffo, ni chaiff pan fynno

1028. Ni heneiddia eiddigedd

1029. Ni huna hawl er ei oedi

1030. Ni lethir llysywen fach dan garreg fawr

1031. Ni ludd diweirdeb ffawd

1032. Ni lwydd bendith ni haedder

1033. Ni lwydda golud a wader

1034. Ni lwyddodd (/lwydda) ond a dramgwyddodd (/dramgwydda)

1035. Ni phell ddigwydd afal o afall

1036. Ni phery cig bras yn wastad

1037. Ni raid dodi cloch am fwnwgl yr ynfyd
       mwnwgl – gwddf

1038. Ni raid dweud pader wrth berson

1039. Ni raid i'r dedwydd ond cael ei eni

1040. Ni roddir gwlad i fud

1041. Ni saif amser i wrando cân

1042. Ni saif gwlith ar geiliogwydd

1043. Ni thâl ddim drwg ymread
ymread – cyfathrach rywiol

1044. Ni thâl porthi gofalon

1045. Ni thawdd dyled er ei haros

1046. Ni thwyllir hen geffyl ag us

1047. Ni thwyllir y call ond unwaith

1048. Ni thyf egin mewn marchnad

1049. Ni thyf gwallt melyn ar ben pawb

1050. Ni waeth beth fo lliw'r delyn os da'r gainc

1051. Ni waeth i ti gic gan gaseg mwy na chic gan geffyl

1052. Ni waeth i ti heb na chadw ci a chyfarth dy hunan

1053. Ni wêl cariad ffaeleddau

1054. Ni wêl trachwant fyth mo'i ddigon

1055. Ni wêl ynfyd ei fai

1056. Ni wêl ynfydrwydd ei faint

1057. Ni welir hawdd yn hawdd onid êl hawdd yn anodd

1058. Ni wella gwas drwg o'i oganu
goganu – sarhau

1059. Ni wna dim ddal mwy na'i lond

1060. Ni wna geiriau teg hau tir

1061. Ni wna'r llygoden ei nyth yn llosgwrn y gath
llosgwrn – cynffon

1062. Ni wna'r môr waeth na boddi

1063. Ni wnêl cyngor i fam, gwnaed cyngor i lysfam

1064. Ni wreiddia yr un pren mor ddwfn â rhagfarn

1065. Ni wyddys am fwyniant y ffynnon onid êl yn hesb

1066. Ni ŵyr dyn ddolur y llall

1067. Ni ŵyr neb lai na'r hwn a ŵyr y cwbl

1068. Ni ŵyr y ci llawn pam y cyfarth y ci gwag

1069. Ni ŵyr yn llwyr namyn llyfr

1070. Nid â drwg fel y dêl

1071. Nid â neb i'r nef er bonedd a dewrder

1072. Nid â nerth braich ac ysgwydd y mae canu crwth

1073. Nid adchwelog gair
   adchwelog – dychwelog

1074. Nid aeth neb yn gyfoethog heb ddwyn tipyn

1075. Nid ag edau wlân y mae rhwymo tarw gwyllt

1076. Nid ag us y twyllir hen ieir

1077. Nid amyneddgar ond cath

1078. Nid ar drai y mae pysgota

1079. Nid ar redeg y mae aredig

1080. Nid aur yw popeth melyn

1081. Nid baich lle bo ewyllys

1082. Nid brenhiniaeth ond serch; nid ynfydrwydd ond traserch

1083. Nid call ond a gadwo yn ei gof

1084. Nid call ond a wêl ei ffolineb ei hun

1085. Nid cof gan yr offeiriad (/chwegr) fod yn glochydd (/waudd)
chwegr – mam-yng-nghyfraith
gwaudd – merch-yng-nghyfraith

1086. Nid cyfoeth ond iechyd

1087. Nid cyfoethog ond a'i cymero

1088. Nid cyfraith heb gyfiawnder

1089. Nid cyfrinach ond rhwng dau

1090. Nid cymaint Bleddyn â'i drwst

1091. Nid cytûn hun a haint

1092. Nid cywilydd yw cwyno, cywilydd yw gorwedd yno

1093. Nid cywir ond ci

1094. Nid chwarae, chwarae â thân

1095. Nid da lle gellir gwell

1096. Nid da rhy o ddim

1097. Nid dall na welo ei fai ei hunan

1098. Nid doeth ymryson â ffôl

1099. Nid doethineb ond tewi

1100. Nid dyn i'r byd mo'r cyfiawn

1101. Nid edrychir ar ddannedd march rhodd

1102. Nid edwyn neb y dewr ond mewn ymladd a rhyfel

1103. Nid ei arfaeth a byrth dyn,
Namyn ei dynged a'i herlyn
pyrth – 3ydd person unigol porthi (bwydo)

1104. Nid eisteddir ar dân heb losgi

1105. Nid ellir croesi'r gamfa nes dod ati

1106. Nid enwog neb ond a wnaeth

1107. Nid eofn noeth yn ysgall

1108. Nid erys Malltraeth i Owain

1109. Nid esmwyth ymgyflogi

1110. Nid ffolineb ond meddwdod

1111. Nid gardd heb ei chwyn

1112. Nid gelyn ond tra llwyddiant

1113. Nid gwaeth yr ymladd dig na glew

1114. Nid gwell gormod na rhy fychan

1115. Nid gwell yn y bedd, bonheddig na thaeog

1116. Nid gwiw canu i'r byddar

1117. Nid gŵr pob un a biso ar bared

1118. Nid hawdd atal amser

1119. Nid hawdd blingo ag elestren
elestren – math ar flodyn *(iris)*

1120. Nid hawdd blingo callestr
callestr – carreg fflint

1121. Nid hawdd cysgu'n esmwyth lle bo gormodedd o chwain

1122. Nid hawdd difenwi cywrain

1123. Nid hawdd galw'r drwg yn ôl

1124. Nid hawdd o frân y gwneir eos

1125. Nid hawdd rhadloni cenfigen

1126. Nid hawdd taw ar gydwybod

1127. Nid hawdd tynnu mêr allan o bost

1128. Nid hawdd yw bwrw hen arfer

1129. Nid hoffter ond etifedd

1130. Nid iachach yr enaid er llenwi y rhumen
rhumen – bol

1131. Nid llafurus llaw gywrain

1132. Nid mawr y cerir gorwedd lle bo gormodedd o ddrain

1133. Nid meddyg fel (/ond) amser

1134. Nid melys ond pechod

1135. Nid mewn undydd yr adeiladwyd Rhufain

1136. Nid mwy gwaith cog na chanu

1137. Nid oes allt heb oriwaered

1138. Nid oes am y peth a aeth heibio
Ond tewi sôn a gadael iddo

1139. Nid oes ar uffern ond eisiau ei threfnu

1140. Nid oes clo na ddedcly allwedd arian
dedcly – dadgloi

1141. Nid oes cywilydd rhag gofid

1142. Nid oes diben gyrru hwyaid i gyrchu gwyddau o'r dŵr

1143. Nid oes diben mynd o flaen gofid

1144. Nid oes disgwyl gan ful ond cic

1145. Nid oes diwydrwydd heb ar ei ben goron

1146. Nid oes dŷ heb gyfrinach

1147. Nid oes feddyg rhag henaint

1148. Nid oes lliw heb lifo

1149. Nid oes neb mor fyddar â'r sawl na fynn glywed

1150. Nid oes o dda'r byd ond mynd a dwad

1151. Nid oes rigol ar ffordd newydd

1152. Nid oes un llaw a ddichon ddal amser

1153. Nid oes un llwybr yn rhy galed i rinwedd

1154. Nid oes unrhyw flodeuyn yn rhy deg i bryfed

1155. Nid oes wyledd rhag anferthedd
anferthedd – hylldra

1156. Nid pob dydd y lleddir mochyn

1157. Nid pob gwan-olwg sy' wan-galon

1158. Nid pob hael air sy' hael law

1159. Nid pyd ond drwg gyfeillgarwch
pyd – perygl

1160. Nid rhaid i ddedwydd ond ei eni,
A'i fwrw i berth fieri

1161. Nid rhy fynych y gwneir yr hyn a fo gyfiawn

1162. Nid rhyfedd dim cynefin

1163. Nid sant neb yn ei fater ei hun

1164. Nid tlawd ond nas cymero

1165. Nid tlodi ond clefyd

1166. Nid twyll twyllo twyllwr

1167. Nid un anian (/hoen) iach a chlaf

1168. Nid un arfaeth caeth a rhydd

1169. Nid un iaith (/uniaith) eos (/bronfraith) a brân

1170. Nid wiw gyrru buwch i ddal ysgyfarnog

1171. Nid wiw i'r llygoden ymryson piso â chaseg

1172. Nid wrth ei big y mae prynu cyffylog
  cyffylog – aderyn pigfain

1173. Nid y crydd ŵyr orau lle mae'r esgid yn gwasgu

1174. Nid y fuwch a frefo a rydd y mwyaf o laeth

1175. Nid yn y bore y mae canmol dydd (/tywydd) teg

1176. Nid ynfydrwydd ond cariad

1177. Nid ysbeiliwr ond gwynt

1178. Nid yw brân yn wynnach o'i golchi

1179. Nid yw bwyd ond i'w brofi

1180. Nid yw cywilydd ond fel y'i cymerir

1181. Nid yw gair ond gwynt

1182. Nid yw mynachod a llygod yn ymadael heb fod drwg

1183. Nid yw neidr byth yn cyfarth

1184. Nid yw pawb yn gwirioni yr un fath

1185. Nid yw'r byd ond ychydig

1186. O bob trwm, trymaf henaint

1187. O bydd cell i gi, mynych yr â iddi

1188. O dan bob llech fe drig sawl trychfil

1189. O ddydd i ddydd mae cŵn bach yn magu dannedd

1190. O eisiau llew yr â llwynog i'r orsedd

1191. O flewyn i flewyn yr â'r pen yn foel

1192. O gadw tafod cedwir cyfaill

1193. O gywirdeb y galon y dywed y gwirion

1194. O lymaid i lymaid y darfu'r cawl

1195. O mynni fod yn iyrchgi, ti a fwri naid a fo'n fwy
    iyrchgi – ci dal iwrch (math ar garw)

1196. O mynni gadw pwyll, cadw dy gydwybod

1197. O Sul i Sul yr â'r forwyn yn wrach

1198. O un wreichionen y cynnau tân mawr

1199. O weled, gwêl dy fai

1200. O ymlenwi mewn gwleddoedd bu farw laweroedd

1201. Odid a ddyry ateb

1202. Odid archoll heb waed

1203. Odid elw heb antur

1204. Oer yw isgell alanas
isgell – trwyth
galanas – llofruddiaeth

1205. Oer yw'r cariad a ddiffydd ar un chwa o wynt

1206. Ofer bwrw dŵr am ben gŵr marw

1207. Ofer cadw ci a chyfarth dy hunan

1208. Ofer cau'r din wedi bramu
bramu – rhechain

1209. Ofer cau'r gorlan wedi i'r defaid fynd allan

1210. Ofer cau'r stabl wedi dwyn y march

1211. Ofer cludo heli i fôr

1212. Ofer cneua mewn brwyn

1213. Ofer codi pais ar ôl piso

1214. Ofer cyrchu dŵr dros afon

1215. Ofer dangos y dibyn i'r dall

1216. Ofer dweud pader wrth berson

1217. Ofer iro blonegyn

1218. Ofer rhedeg o'r glaw i ffrwd y pistyll

1219. Ofer seboni pen asyn

1220. Ofer ymryson â'r Diawl am gudyn o wellt

1221. Oferedd balch fawredd byd

1222. Oni byddi gryf, bydd gyfrwys

1223. Oni fentrir, ni cheir

1224. Oni heuir, ni fedir

1225. Os chwyth ar wreichionen, hi a gynheua

1226. Os da gwnawn, da gawn

1227. Os dillad yw'r dyn, y dyn yw'r truan

1228. Os down ni, ni a ddown

1229. Os ei yn was i eurych, rhaid i ti gario ei gôd

1230. Os gwneuthur drwg, gwna fel y gwna dyn a ŵyr ei wneuthur

1231. Os mynni brysurdeb, cais long, melin a gwraig

1232. Os na ddaw'r egin (/gwenith) mi ddaw'r chwyn

1233. Os na fentri di beth, enilli di ddim

1234. Os syrthiaist, na oeda godi

1235. Os wyt dlawd, na fydd fudr

1236. Os wyt gryf, bydd drugarog

1237. Pa beth bynnag a heuo dyn, hynny hefyd a fed efe

1238. Pa bynnag gyfraith wneir, gwêl y drwg dwll i ddianc

1239. Pa daro sydd am y glaw cyn dechrau hau had?

1240. Pan bregetho'r llwynog, cadwed pawb ei wyddau

1241. Pan dywyso dall ddall arall, y ddau a ddisgyn i'r pwll

1242. Pan ddaw angen i mewn drwy'r drws, â cariad allan drwy'r ffenestr

1243. Pan fo dyn heb wneuthur dim, yna y mae'n dysgu gwneuthur drwg

1244. Pan fo llawer yn llywio, fe sudda'r llong

1245. Pan fo seren yn rhagori
Fe fydd pawb a'i olwg arni;
Pan ddaw unwaith gwmwl drosti
Ni bydd mwy o sôn amdani.

1246. Pan fo tecaf chwarae, gorau fydd peidio

1247. Pan fo trallod yn cysgu, na ddeffro ef

1248. Pan fych yn dy wynfyd, na ad dros gof dy adfyd

1249. Pan gyll y call, fe gyll ymhell

1250. Pan lithro doeth, pob ffôl a dery droed arno
tery – taro

1251. Pan yrrer y Gwyddel allan, ynfyd yr haerir ei fod

1252. Parch a'th barcho (+/pwy bynnag y bo)

1253. Parcha ŵr er ei fawed

1254. Parchus pawb a fedd drysor

1255. Pawb a chwennych (/gais) anrhydedd

1256. Pawb a fesur arall wrtho'i hun

1257. Pawb a gaiff gysur o'i ynfydrwydd ei hunan

1258. Pawb a gnith cedor ynfyd
cnith – plwcio

1259. Pawb a'i chwedl ganddo.

1260. Pawb a'i droed ar a syrthio

1261. Pawb a'i fys lle bo'i ddolur

1262. Pawb at y peth y bo

1263. Pawb sy'n hyderus (/jarff) ar ei domen ei hun

1264. Pawb sydd ddrwg wrth ei chwilio

1265. Pawb ŵyr gwlwm ei gwd ei hun

1266. Pe byddai dyn wybodus dros awr, byddai gyfoethog dros fyth

1267. Pe'i dwedai dafod a wybai geudod, ni byddai gymydog neb rhai
ceudod – tu mewn

1268. Peidiwch â thaflu cerrig i'r ffynnon a'ch disychedodd

1269. Pell chwerthin o galon euog

1270. Pen y ffordd i wneud drwg yw peidio gwneud daioni

1271. Pengadarn yw barn pob diwybod
pengadarn – ystyfnig

1272. Pennog gyda phwn dyr asgwrn cefn y ceffyl

1273. Plant a chŵn a yrr y byd yn benben

1274. Plant ac ynfydion nis adroddant,
Ond y peth a'r modd y clywsant

1275. Plant gwirionedd ynt (/yw) hen ddiarhebion

1276. Plyger y pren pan fo'n gangen

1277. Po amlaf fo'r bleiddiaid, gwaethaf fydd i'r defaid

1278. Po ddyfnaf y môr, diogelaf fydd i'r llong

1279. Po ddyfnaf yr afon, lleiaf (+/oll) ei thrwst

1280. Po fwya' fo'r llanw, mwya' fydd y trai

1281. Po fwyaf y gwir, mwyaf oll fydd ei dâl

1282. Po gallaf y dyn, anamlaf ei eiriau

1283. Po hynaf y rhyg, tebycaf fydd i'w dad (/had)

1284. Po leiaf y ci, mwyaf fydd ei drwst

1285. Po tynnaf y llinyn, cyntaf y tyr

1286. Pob bwyd a gaiff ei fwyta

1287. Pob cadarn, gwan ei ddiwedd

1288. Pob cyffelyb a ymgais

1289. Pob dihareb: gwir (+/pob coel: celwydd)

1290. Pob edn a edwyn ei gymar
   edn – aderyn

1291. Pob gwlad yn ei harfer

1292. Pob llwybr mewn ceunant i'r unffordd y rhedant

1293. Pob peth yn ei amser

1294. Pob rhyw a genhedla ei debyg

1295. Pob yn eilwers y rhed y cŵn

1296. Pori mae'r fuwch er pigo y gwybed

1297. (+/Y) Pryf a fegir ar gachu (/faw) hed uchaf

1298. Prawf dy gydymaith cyn bod rhaid wrtho

1299. Pryn sâl (/hen), pryn eilwaith

1300. Rhag angau ni thycia ffoi

1301. Rhag annwyd ni weryd cannwyll

1302. Rhag bob clwyf: eli amser

1303. Rhag newyn nid oes gwyledd
gwyledd – gwyleidd-dra

1304. Rhagnythed iâr cyn dodwy

1305. Rhaid barnu'r cadarn yn gall rhag ei ofn

1306. Rhaid cael cof da i ddweud celwydd

1307. Rhaid cael dau i ffraeo

1308. Rhaid cael llwy hir i fwyta gyda'r Diawl

1309. Rhaid cropian cyn cerdded

1310. Rhaid curo'r haearn tra bo'n boeth

1311. Rhaid i bob dyn fwyta hobaid o faw cyn marw

1312. Rhaid i longau bychain gadw yn ymyl y lan

1313. Rhaid i segur, beth i'w wneuthur

1314. Rhaid i stiward gael mwy o barch na'i feistr

1315. Rhaid i'r fuwch wrth losgwrn (/gynffon)
llosgwrn – cynffon

1316. Rhaid llunio'r (/lladd y/rhannu'r/ffitio'r) wadn fel bo'r troed (/droed)
llosgwrn – cynffon

1317. Rhaid pwyo llawer llwyn cyn cilio ysgyfarnog

1318. Rhaid torri ffon pan welir hi

1319. Rhaid torri'r plisgyn cyn cael y cnewllyn

1320. Rhaid tri pheth i wneud gwaith: modd, medr a mynn

1321. Rhed cachgi rhag ei gysgod

1322. Rho lathen i Sais ac fe gymer filltir

1323. Rhodd a dadrodd yw rhodd bachgen

1324. Rhodd o fodd yw'r rhodd orau

1325. Rhodder cred fach i addo mawr

1326. Rhin deuddyn, cyfrin yw; rhin tridyn, can dyn a'i clyw
rhin – cyfrinach

1327. Rhwng y ddwy stôl yr â'r din i lawr

1328. Rhy lawn a gyll

1329. Rhy uchel a syrth

1330. Rhydd i bawb ei farn ac i bob barn ei llafar

1331. Rhygas pob rhywir

1332. Sadiaf y mur po gadarnaf y garreg

1333. Salaf ei hesgid: gwraig y crydd

1334. Sef a laddodd a gyhuddir

1335. Segurdod a meddwdod wna grogyddion yn gyfoethog

1336. Serch a wna ffordd drwy ddŵr a thân

1337. Siarad ychydig ag eraill a llawer â thi dy hun

1338. Sicra'r mur po arwa'r garreg

1339. Siomgar a sioma ei hunan

1340. Taeog fydd taeog cyd bo coronog

1341. Tafod a draeth, buchedd a ddengys

1342. Tafod a dyr asgwrn

1343. Tafod teg a â trwy'r byd

1344. Tai y cyfreithwyr a doir â chrwyn y cyfreithgar

1345. Tair cynhysgaeth i'r oes a ddêl: adeiladu tai, plannu coed a magu plant
   cynhysgaeth – etifeddiaeth/gwaddol

1346. Tan enw pwyll y daw twyll

1347. Taw wrth ynfyd

1348. Tawedog, tew ei ddrwg

1349. Tecach marw gan anrhydedd na byw gan gywilydd

1350. Teg o gannwyll, pwyll i ddyn

1351. Teg edrych tuag adref

1352. Teml glwth, ei gegin

1353. 'Tinddu' ebe'r frân wrth y wylan

1354. Tlawd i brynu, cyfoethog i werthu

1355. Tlawd pob trachwantus

1356. Tlawd yw athro heb amynedd

1357. Torred pob dim yn ei flas

1358. Tra bo'r ci yn cachu yr â'r ysgyfarnog i'r coed

1359. Tra hyf yw pob dyn disynnwyr

1360. Tra rhedo'r og, rheded y freuan
   breuan – melin law

1361. Trallodion yw ffyn yr ysgol sy'n esgyn i'r nef

1362. Traws pawb lle ni charer
   traws – blin

1363. Trech a gais nag a geidw

1364. Trech amod na gwir

1365. Trech anian nag addysg

1366. Trech arfer nag arfaeth

1367. Trech diwyd na chadarn

1368. Trech golud nag arglwydd

1369. Trech gwir na chadarn

1370. Trech gwlad nag arglwydd

1371. Trech tynged nag arfaeth

1372. Treigl maen hyd wastad

1373. Treulia'r ychydig sydd gennyt tra bo ffyliad yn ceisio mwy

1374. Tri da weision ond drwg feistriaid: tân, dŵr a gwynt

1375. Tri dyn ni charant eu gwlad: a garo ei fol, a garo gyfoeth,
a garo esmwythder

1376. Tri glwth byd: môr, dinas ac arglwydd

1377. Tri pheth anodd ei gael: dŵr sych, tân gwlyb a gwraig dawgar

1378. Truan teyrn heb ei osgordd

1379. Trwm gofal beth bynnag ei achos

1380. Trwsiad, chwarddiad, ac ymddygiad a ddengys pa beth fo dyn fel
goleuad
    trwsiad – dillad

1381. Trwy dwll bychan y gwelir goleuni

1382. Trwy falchder y gwneir cydymaith yn elyn

1383. Trwyn uchel a dyr ei wddf o ddiffyg gweld ei draed

1384. Trychni nid hawdd ei ochel
trychni – anffawd

1385. Trymaf dial yw dirmyg

1386. Tyf (/Tyfid) maban, ni thyf ei gadachau (/gadachan)

1387. Tyst yw'r chwedl o'r englyn

1388. Tywysen lawn a ostwng ei phen; tywysen wag a saif yn syth

1389. Ufudd-dod i gyfoeth, a balchder i dlodi

1390. Uffern y cythraul yw'r nef

1391. Un a ddwg y ceffyl i'r dŵr, cant ni wna iddo yfed

1392. Un awr y cân eos a thylluan

1393. Un celwydd a wnaeth am gelwydd arall

1394. Un cyflwr pawb yn angau

1395. Un drwg a lygra gant

1396. Un hanner y byd sy'n gnafiaid a'r hanner arall sy'n ffyliaid

1397. Un llysieuyn diflas ddifwyna'r holl botes

1398. Un pechod a lusg gant ar ei ôl

1399. Un peth yw dweud, peth arall yw gwneud

1400. Un wennol ni wna wanwyn

1401. Unllygeidiog fydd frenin yng ngwlad y deillion

1402. Unwaith yn ddyn, dwywaith yn blentyn

1403. Unwaith yr aeth yr arglwyddes i nofio, a'r tro hwnnw y boddodd

1404. Urddasoldeb swydd yw ei chyflawni'n gyfiawn

1405. Utgorn angau, peswch sych

1406. Wedi hau gwynt, rhaid medi corwynt

1407. Weithiau fe gwymp y goeden heb estyn y fwyall

1408. Wel mae llawer pren teg brig llydan,
Yn cysgodi bwystfilod aflan.
Ac adar drwg yn nythu ynddo fry,
Nid all e ddim wrth hynny'i hunan.
            Twm o'r Nant

1409. Wrth ei ffrwythau yr adnabyddir dyn

1410. Wrth gicio a brathu mae cariad yn magu

1411. Wrth imi fyw yn gynnil gynnil,
Aeth un ddafad imi'n ddwyfil.
Wrth imi fyw yn afrad afrad,
Aeth y ddwyfil imi'n ddafad.

1412. Wrth roddi dyrnod i bob pren ni thorrir yr un pren i lawr

1413. Wrth ymladd (/ymrafael) yr â'r cathod ynghyd

1414. Wyneb nas adnabyddi yw yfory

1415. Y bai a esgusodir unwaith a wneir eilwaith

1416. Y bedd a lwnc bob peth ond enw da

1417. Y butraf ei geg, glanaf ei galon

1418. Y carchar gorau yw carchar bwyd

1419. Y ci a helio pob llwdn, ni bydd yn dda ar yr un

1420. Y ci mwyaf ofnus gyfartha fwyaf

1421. Y ci y mynner ei grogi (/ladd) a ddywedir ei fod yn lladd y defaid
(/ei fod yn gynddeiriog)

1422. Y cŷn a gerddo a yrrir

1423. Y defnyn a ddryll y garreg nid o gryfder, ond o fynych syrthio

1424. Y diawl ffolaf yn uffern yw hunan-dyb

1425. Y dyn mwyaf yw'r lleiaf yn ei olwg ei hun

1426. Y fawnog a farn

1427. Y felin a fâl a fynn ddŵr

1428. Y ferch a ddêl i'w phrofi,
Hwyr y daw i'w phriodi

1429. Y forwyn a adawo ei phrofi, hwyr y daw i'w phriodi

1430. Y fuwch a frefa fwya' am ei llo a ofyn tarw gyntaf

1431. Y ffordd i ladd gelyn yw gwneud cyfaill ohono

1432. Y gath a fo dda ei chroen a flingir

1433. Y gneuen goeg sy' gletaf
coeg – ffug (h.y. gwag)

1434. 'Y gorau ohonynt a grogwyd,' ebe'r Diawl am ei blant

1435. Y gorau yw y gorau yn y diwedd

1436. Y groes waethaf yw bod heb yr un

1437. Y gwir, fel hufen, a fynn fod yn uchaf

1438. Y gwir sy'n lladd

1439. Y gwybedyn ysgafnaf hed uchaf

1440. Y llac ei afael a gyll

1441. Y llaw a rydd a gynnull (/gymell)

1442. Y llwybr y cerddo madyn y cerdd ei ddrewdod
madyn – llwynog

1443. Y march a fram a ddwg y pwn
bram– rhechain

1444. Y march a fydd farw tra bo'r gwellt yn tyfu

1445. Y mud a ddywed y gwir

1446. Y mwg a gyrch yr huddygl

1447. Y mwya' ei fost, lleiaf ei orchest

1448. Y naill flwyddyn a fydd fam i ddyn, a'r llall ei elldrewyn
elldrewyn – llysfam

1449. Y naill wenwyn a ladd y llall

1450. Y neb a fo a march ganddo a gaiff farch yn fenthyg

1451. Y neb a fynno heddwch, ymbaratoed i ryfel

1452. Y neb a saetho adrybudd a gyll ei saeth
adrybudd – ar hap

1453. Y pry' a faged yn y pren sy'n ei ysu

1454. Y sawl a fu a ŵyr y fan

1455. Y sawl a gaiff lawer gaiff fod heb yr un

1456. Y sawl a godo a gyll ei le

1457. Y sawl wrthodo'i lwc a haedda'i anlwc

1458. Y tŷ na egyr i'r tlawd a agora i'r meddyg

1459. Ychydig a wneid am y Nef pe diffoddid Uffern

1460. Ychydig lefain sy'n lefeinio'r holl does

1461. Ychydig yn aml a wna lawer

1462. Yng ngenau'r sach mae cynilo (+/blawd)

1463. Ym mhob braint y mae dyletswydd

1464. Ym mhob crefft y mae ffalster

1465. Ym mhob daioni y mae gwobrwy

1466. Ym mhob dewis y mae cyfyngder

1467. Ym mhob gwlad y megir glew

1468. Ym mhob llafur y mae elw

1469. Ym mhob pen y mae 'piniwn

1470. Ym mhob rhith y daw angau

1471. Ym mhob rhyfel y mae gofal

1472. Ym mhob trachwant y mae lladrad

1473. Ymbaratoi i gwrdd adfyd yw'r ffordd nesaf i hawddfyd

1474. Ymborth anwiredd yw aur ac arian

1475. Ymgais yw mam pob rhagoriaeth

1476. Ymhell mae llwynog yn lladd

1477. Ymrith y drwg ar lun daioni

1478. Ymryson â doeth, ti a fyddi ddoethach

1479. Ymryson â ffôl, ti a fyddi ffolach

1480. Yn ceisio blewyn glas y boddodd y gaseg

1481. Yn dy adfyd ni ymguddia dy elynion

1482. Yn dy wynfyd ni wyddost pwy yw dy garedigion

1483. Yn y croen y ganed y blaidd y bydd farw

1484. Yn y gwin y ceir y gwir

1485. Yn y lle yr ymgreinio'r march y gedy beth o'i flew

1486. Yr agoriad aur sy'n agor pob clo

1487. Yr aing a gerddo, gyrrer honno
gaing – darn o bren fel ebill

1488. Yr awr dywyllaf yw'r nesaf i'r wawr

1489. Yr hwn a geisio foddio pawb, ni foddia neb

1490. Yr hwn nad edrycho o'i flaen a gaiff ei hun ar ôl

1491. Yr hwn sy'n sefyll, edryched na syrthio

1492. Yr hyn ni welo llygad, ni ddoluria galon

1493. Yr offeryn gorau yw gwain tafod

1494. Yr un peth yw ci a'i gynffon

1495. Yr us a ddaw i'r wyneb

1496. Yr ych llog ni fedr achwyn

1497. Yr ynfyd a dywallt ei fryd ar unwaith

1498. Ysgafn ei ben: ysgafn ei galon

1499. Ysgafn y daeth, ysgafn yr aeth

1500. Ysgil i fyw, ffŵl i weithio
ysgil – yn sgîl